읽었으니 써볼까? no.2

우리가 책을 읽을 때

김성운 양나혜 문서원 박시호 김주원

차례

'성장'이라는 이름의 향기 줄리쌤 · 4

김성운

삶은 선택의 연속이고, 우리가 원하는 삶은 선택 속에 있어

허구의 삶 · 10
꽃들에게 희망을 · 17
어린 왕자 · 25
올리버 트위스트 · 33

양나혜

슬픔아, 행복해도 괜찮아!

플랜더스의 개 · 48
나의 라임 오렌지나무 · 58
죽이고 싶은 아이 · 69
순례 주택 · 79

● 문서원

완벽한 위로는 아닐지라도

헬렌 켈러 • 96
피터 팬 • 105
안네의 일기 • 115
2미터 그리고 48시간 • 124

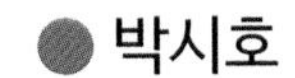

● 박시호

인생을 바꾸는 강한 의지

나무를 심은 사람 • 138
지킬 앤 하이드 • 146
장발장 • 156
마틸다 • 164

● 김주원

내가 그리는 미래의 나

파브르 곤충기 • 178
천 개의 파랑 • 187
비밀의 화원 • 195
세계를 건너 너에게 갈게 • 205

‘성장’이라는 이름의 향기

질문으로 읽고 쓰는 고전 독서 토론 <줄리쌤>

어른이 되어서야 책 읽는 즐거움에 푹 빠진 나는 책을 꾸준히 읽으면 얻게 되는 다양한 효과에 대해 가슴 깊이 느끼는 중이었다. 아이들의 영어 선생님이라는 오랜 경력을 가지고 있었지만 현장에서 만나는 친구들은 책 한 권 제대로 읽지 않아 우선 모국어를 이해하는 능력부터 키워야 한다는 것을 깨달았다. 성적을 올리거나 좋은 점수를 받기 위해 읽는 책 읽기나 글쓰기 말고, 인생을 살아가는 데 필요한 가장 중요한 것들을 배워나가는 진짜 공부를 함께 하고 싶어 고전 독서지도 선생님이 되었다.

학교생활과 학원까지 이어지는 과중한 학업 스트레스에 매주 읽어야 하는 책을 더해준다는 것이 쉽지 않았지만 아이들은 점차 자연스럽게 책 읽기에 빠져들었고, 책을 읽고 나누며 생각을 정리하면서 써 내려간 글에서 자신도 모르고 있던 내면의 자아와 만나는 것 같았다. 읽기 싫었지만 읽다 보니 빠져들고, 쓰기는 더 싫었지만 쓰고 나면 스스로가 꽤 대단해 보이는 일들을 아이들과 오랜 기간 함께했다.

그냥 쓰는 것이 아니라 잘 쓰기 위해 애쓰는 친구들이 되면 좋겠다고 생각했다. 선생님이나 부모님이 시켜서 읽고 쓰는 것 말고 스스로가 생각을 정리하며 써 내려가는 적극적 글쓰기를 위해 무엇을 할 수 있을까? 책 만들기 프로젝트는 그렇게 시작되었다.

스스로를 이겨내며 자신만의 아름다운 겨울방학을 보낸 아이들의 글을 보고 생각했다.

'책 만들기 프로젝트는 자기 생각을 밖으로 드러내는 일로부터 멀어지며 급격하게 말수가 줄어드는 청소년기에 더더욱 필요한 일이었구나.'

책을 읽고 글을 쓰며 변화한 친구들의 마음에 심어진 작은 씨앗들은 종종 햇볕을 받고 자라나 싱그러운 싹을 틔울 것이다. 그리고 자신만의 스토리를 가진 풍성하고 건강한 정원을 만들어 가겠지.

이제는 거센 바람이 불어 줄기가 꺾이고 마음대로 되지 않는 날에도 단단하게 마음을 붙잡고 그 시간을 이겨낼 수 있는 힘이 생겼을 거라 믿는다. 아이들의 글에서 '성장'이라는 이름의 진한 향기가 났다.

1

삶은 선택의 연속이고,
우리가 원하는 삶은
선택 속에 있어

Oliver Twist
올리버 트위스트

김성운

2009년에 태어나 지금은 열다섯 살이 되었고, 최근 경주에서 울진으로 이사를 오게 되었다. 평범한 학생들처럼 숙제를 싫어하고 노는 것을 좋아한다. 숙제를 일찍 끝내지는 못하는 편이지만 그래도 제시간에 내려고 노력하는 편이다. 최근 글을 쓰고 삶의 의미에 대해 생각하며 생각이 한층 더 깊어진 것 같다.

허구의 삶

꽃들에게 희망을

어린 왕자

올리버 트위스트

* * * *

허구의 삶

"살아 있어 아직 많은 것이 가능했다."

- 이금이 -

'더 일찍 일어났다면 숙제를 끝낼 수 있었을 텐데.'

오늘 아침도 후회로 시작한다. 하지만 어젯밤 늦게 잤던 것은 나의 선택이었으므로 어쩔 수 없다. 그리고 아침에 했던 후회는 얼마 안 가 또 빠르게 잊힐 것이다.

우리가 삶을 살아가면서 후회를 하는 순간은 셀 수 없이 많다. 그리고 우리는 선택한 것과 하지 않은 것들을 생각하며 괴로워하기도 한다. '매일 운동을 했더라면.' 이나 '미리 공부를 했었다면.' 같은 후회들 말이다. 우리가 만드는 '만약의 세계'는 생각하지 않는 것이 불가능할 정도로 달콤하다. '만약' 한마디면 내가 바랐던 혹은 하지 못한 것들이 쏟아져 나온다. '만약 세상에서 가장 돈이 많은 사람이 된다면.'이나 '만약 하루아침에 천재가 된다면.' 같은 유치한 상상들까지 말이다. 그 세상에서 이미 우리는 현실을 피해 생각보다 많은 시간을 보냈다.

그렇다면 우리는 왜 후회를 할까? 이유는 간단하다. 우리가 어떤 것을 선택했기 때문이다. 무수히 많은 선택지 중에 알맞은 선택을 하지 못했다고 생각해서 후회하게 되는 것이다. 우리의 삶은 선택의 연속이다. 아침에 일어나 무엇을 먹을지 선택하고 어떤 옷을 입을지, 무슨 말을 할지, 무엇을 할지 등 하루에도 수백수천 가지의 선택을 하고 있다. 선택을 하면 할수록 후회도 늘어난다. 우리는 선택할 때마다 최고의 선택을 하려고 애쓰지만, 시간이 지나면 그 선택은 여전히 최고의 선택이 될 수도 있고 반대로 최악의 선택이 될 수도 있다. 그러니 좋지 않은 결과가 나오더라도 선택하는 행위 자체를 후회하진 않았으면 좋겠다.

분명 후회가 두려워 선택을 하지 못하는 삶을 사는 사람도 있을 것이다. 그러니까 남이 대신 선택해 주는 삶 말이다. 어쩌면 시키는 대로 사는 삶이 편할 수도 있다. 하지만 그게 과연 자기 삶일까? 나는 선택하지 않는 삶을 사는 사람들도 이해된다. 하지만 그 사람들은 선택하지 않기를 선택했으니 그것에 대한 책임도 그들이 져야 한다. 또 남이 대신 결정해 주는 삶을 살고 후회할 바에야 차라리 자신이 한 선택에 대해 후회하는 것이 훨씬 바람직하다고 생각한다.

모든 선택에는 책임과 후회가 뒤따른다. 나는 하지 않고 후회하는 것보다 한 것에 대해 후회하는 것이 더 낫다고 생각한다. 나도 새로운 선택을 할 때마다 선택에 대해 시간과 노력을 쏟아붓는 게 두렵다. 그러나 선택하지 않는다면 몇 년이 지나도 나는 그 자리에 그대로 주저앉아 나아가지 못할 것이다. 매일 새로운 선택을 하며 후회와 맞서는 것만으로도 더욱 발전한 사람이 되는 것 같다.

후회하는 것도 용기가 필요하다. 어쩌면 최악의 선택이라서 기억조차 하고 싶지 않을 수도 있다. 그렇지만 직면하지 못해서 후회하지 않게 된다면 과연 그게 좋은 방법일까? 후회를 하기 위해서는 자신이 한 선택이 틀렸음을 인정해야 한다. 자신이 한 선택이 좋지 못했고 후회가 두렵다고 해서 잊고 살지는 않았으면 좋겠다. 외면과 회피는 좋은 방법은 아니라고 생각한다. 자신이 한 선택을 직면하는 게 두렵더라도 회피하지 않고 직면한다면 점점 더 나은 삶을 살게 될 것이다.

"사람들이 자신은 하나의 삶을 산다고 생각하지만 실은 하나의 인생만 안다고 하는 게 더 맞는 말이야."

그렇다. 우리는 하나의 삶만을 알 뿐이다. 그래서 다른 선택의 삶을 상상하고 거기에 우리가 아는 삶을 맞춰나간다. 그러다가 다른 선택의 삶이 자신이 아는 삶보다 더 좋아 보인다면 우리는 실망한다.

간혹 자신들이 상상한 '만약의 세계'에 갇혀 나오지 못하는 사람들이 있다. 하지만 어떤 면에선 내겐 후회나 허구가 많이 필요한 것 같다. 나는 만약의 세계를 외면하고 들어가려 하지 않는다. 만약의 경우들을 상상하지 않기 때문에 후회할 순간이 와도 금방 잊는다. 사람들이 같은 실수와 후회를 반복하지 않는 것은 만약을 얼마나 생각하고 자기반성을 하는지에 달린 것 같다.

어린 시절, 나에게는 친한 친구가 있었다. 그 친구는 신체적 장난을 싫어했었다. 어느 날 내가 장난을 쳤는데 갑자기 친구가 화를 내서 잠시 서먹해지게 되었다. 이후 그 친구를 만날 때면 친구가 화내던 것이 생각이 나서 조심스럽게 행동하게 되었다. 그래서 그 친구와 비슷한 일로 싸우는 일은 거의 없었다.

내 생각으로는 후회와 반성은 종이 한 장 차이인 것 같다. 우리도 모르게 자신이 한 선택을 반성하지 않고 후회만 하고 있지는 않은가? 나는 시험 기간에 계획을 잘 세우지 않는다. 계획을 세우더라도 제대로 지키지 않았으면서 시험을 망쳤다며 후회한다. 그리고 다음 시험이 돌아와도 별로 달라진 것은 없다. 지금 생각하니 후회만 하고 반성하지 않아서 그런 것 같다. 나는 이 글을 쓰면서 그런 점을 고쳐야겠다는 생각이 들었다. 그리고 이런 생각이 들 때는 빨리 어디에든 적어두는 것도 중요한 것 같다. 우리는 생각보다 훨씬 많은 생각을 하고, 대부분 금방 잊기 때문이다. 우리의 기억에 남는 생각은 수많은 생각 중의 일부일 뿐이다.

후회는 꼭 필요하지만 결국 너무 빠져서는 안 된다고 생각한다. 후회는 늪과 같다. 후회를 하고 나면 분명 선택에서는 조심하게 되지만 너무 깊게 빠진다면 다시 나오기가 어렵다. 한번 저지른 실수를 계속 생각하거나 자신이 한 행동 하나하나를 모두 반성하고 기억하려 한다면 어떻게 될까? 아마 일상생활이 불가능해질 것이다. 후회로 둘러싸여 매일 쏟아지는 후회를 모두 짊어지고 삶을 사는 것은 불가능하다. 후회에 빠져 '만약의 삶'을 산다면 남는 건 실망뿐일 것이다. 후회는 짧게 반성은 진지하게 하며 내 삶을 좋은 방향으로 이끌어야겠다는 생각이 든다.

그리고 더 좋은 선택을 하려 노력은 하되 너무 많은 힘을 쓰진 말자.

분명 오랜 시간을 투자하고 열심히 고민한다면 좋은 선택지를 찾을 수 있을 것이다. 하지만 모든 선택에서 최고의 선택을 하려 한다면 얼마 못 가 선택할 힘조차 없어질지도 모른다.

우리는 자라며 변한다. 그게 좋은 변화일 수도 있고 나쁜 변화일 수도 있다. 그리고 좋든 나쁘든 변화를 만드는 건 다름 아닌 우리 자신이다. 나중에 이 변화를 만든 자신을 후회하지 않도록 좋은 변화를 만들어 보고 싶다.

"네 말대로 그렇게 해서 더 살려는 사람도 있겠지, 그런데 다 부질없다는 생각이 들더라고. 내 명은 이것뿐이고 이게 내 진짜 삶인데."

소설 <허구의 삶>의 주인공인 허구는 죽기 전, 자신의 옛 친구인 상만을 불러 말했다. 암으로 죽어가는 허구를 보고 상만은 왜 다른 세상을 여행한 능력으로 살려고 하지 않느냐고 물었다. 하지만 허구는 죽음을 받아들이고 현실에 머물렀다. 죽음을 외면하고 다른 삶을 사는 것 보다 자신의 상황을 마주하기로 한 것이다. 어쩌면 허구는 삶에 지친 것 같기도 했다. 여행자 허구는 많은 삶을 알았다. 우리는 겨우 하나의 삶을 알고 있는 것만으로도 충분히 힘이 든다. 그런데 허구는 여러 삶에서 오는 후회의 무게를 감당해야 했으니 얼마나 괴로웠을까.

어느 날 허구는 시장에서 엄마를 잃어버렸고, 자식을 잃었던 허사장의 부인이 허구를 유괴했다. 허구를 때리고 방치했던 아빠는 돈을 주고 허구를 팔았다. 그리하여 허사장과 그의 부인은 허구를 데려오게 되었다. 분명 허구는 더 많은 사랑과 보살핌을 받게 되었다. 하지만 부모님께 버려지고 허씨 가족에게 팔려 아무 선택도 하지 못했다. 허구가 주변 일에 무관심하다 못해 무기력해 보이는 이유가 나는 이런 상황을 겪었기 때문이라고 생각한다.

"굳이 이름 붙이자면 '가지 않은 길'로의 여행이라고나 할까. 만일 과거의 어느 갈림길에서 A가 아닌 B를 선택했다면, 혹은 C나 D를 선택했다면 K의 삶은 어떻게 됐을까?"

허구는 자신을 판 가족과 자신을 유괴한 가족 중 어느 쪽에도 뿌리를 내리고 살지 못했던 것 같다. 그래서 현실을 피해 다른 삶을 여행하며 저런 상상을 했던 것은 아닐까? 가족들 때문에 자기 의지대로 선택하지 못했던 일들을 그렇게라도 해 보고 싶었을 것이다.

우리도 한 명의 여행자이다. 어쩌면 우리가 여행할 수 있는 다른 삶이 있을지도 모른다. 여행하는 삶을 그저 보고 지나칠지 아니면 그 삶 속에 남아 우리의 삶을 꾸밀지는 우리의 선택이다. 후회 없는 삶을 살기 위해 하루하루를 열심히 가꾸어 보는 것이 좋겠다.

* * * * * * *

꽃들에게 희망을

"나비는 아름다운 날개로 날아다니면서
땅과 하늘을 연결시켜 주지.
나비는 꽃에서 꿀만 빨아 마시고,
이 꽃에서 저 꽃으로 사랑의 씨앗을 날라다 준단다."

- 트리나 폴러스 -

호랑 애벌레는 알에서 태어나 잎을 먹고 또 먹으며 같은 일상을 반복해 왔다. 같은 일상에서 삶의 의미를 찾지 못한 호랑 애벌레는 떠돌아다니기 시작했다. 그때 애벌레들이 탑에 오르는 것을 발견했다. 그 탑의 꼭대기에 무엇이 있는지는 모른 채, 호랑 애벌레는 다른 애벌레들을 따라 탑을 오르기 시작했다. 탑을 오르던 호랑 애벌레는 문득 그 꼭대기에는 무엇이 있을지 궁금해졌다. 궁금함이 더해지면서 꼭대기에 반드시 오르고 싶은 알 수 없는 집착까지 생겼다. 그러다 다른 애벌레들을 짓밟지 않으면 올라갈 수 없다는 것을 알게 되었고, 이윽고 다른 애벌레들을 밟고 오르기 시작했다. 다른 애벌레들은 그저 경쟁자일 뿐이었다.

탑을 오르던 중 호랑 애벌레는 노랑 애벌레를 만났고, 탑을 오르기 시작한 후 처음으로 다른 애벌레의 눈을 마주하게 되었다. 노랑 애벌레가 탑의 꼭대기에는 무엇이 있냐고 물었다. 호랑 애벌레는 처음으로 진지하게 오르는 이유를 생각해 보았으나 찾지 못했다. 그래서 호랑 애벌레는 노랑 애벌레와 힘을 합쳐 탑을 내려가기로 했다. 둘은 다시 잎을 먹던 생활로 돌아와 사랑을 나누기 시작했다. 하지만 그것도 잠시 호랑 애벌레는 매일 똑같은 일상에 질려버렸다.

호랑 애벌레는 다시 탑을 오르게 되었고 노랑 애벌레는 탑을 올라가는 것만이 높은 곳에 가는 방법이 아니라고 생각했다. 그래서 노랑 애벌레는 방황하며 여러 곳을 돌아다녔다. 그러다 어느 날 나뭇가지에 거꾸로 매달려 실을 감고 있는 늙은 애벌레를 보았다. 노랑 애벌레는 늙은 애벌레에게 도움이 필요하냐고 물었지만 늙은 애벌레는 자신은 그저 나비가 될 준비를 하는 중이라며 괜찮다고 말했다. 늙은 애벌레가 누구나 나비가 될 수 있다고 말하자 노랑 애벌레가 말했다.

"그럴 리가 없어요! 제 눈에 보이는 것은 당신도 나도 솜털투성이

벌레일 뿐인데, 그 속에 나비가 있다는 걸 어떻게 믿을 수 있겠어요?"

두려우면서도 기대에 들뜬 노랑 애벌레는 늙은 애벌레에게 어떻게 나비가 될 수 있는지를 물었다.

"날기를 간절히 원해야 돼. 하나의 애벌레로 사는 것을 기꺼이 포기할 만큼 간절하게. 너는 아름다운 나비가 될 수 있어! 우리는 모두 너를 기다리고 있을 거야!"

노랑 애벌레는 나비가 되기 위해 준비하기 시작했고, 고치를 완성했다.

한편 호랑 애벌레는 마침내 탑의 꼭대기에 도착했다. 많은 애벌레들이 오르면서 무언가 대단한 것이 있을 거라고 생각했던 탑의 꼭대기에는 아무것도 없었고 주변에는 다른 애벌레의 탑들이 있었다. 호랑 애벌레는 혼란스러웠다. 그때 커다란 노란색 날개를 가진 나비가 탑의 주변을 돌며 꼭대기로 날아오기 시작했다. 그 나비를 본 순간 호랑 애벌레는 묘한 희망을 품게 되었다. 호랑 애벌레는 탑을 내려가기로 다짐했다. 탑을 내려가며 호랑 애벌레는 다른 애벌레들에게 꼭대기에는 아무것도 없다는 것을 모두 말해 주었다. 하지만 이를 믿는 애벌레는 거의 없었다. 아무것도 모른 상태로 탑을 오르면서 답답했을 텐데, 누군가가 탑의 꼭대기에 아무것도 없다고 말해 주는 걸 왜 믿지 않았을까? 어쩌면 애벌레들은 믿고 싶지 않았을지도 모른다. 자신들이 그동안 힘들게 올라왔던 탑의 정상에 아무것도 없다는 것은 상상하기도 싫었을 것이다. 그렇게 이 탑의 꼭대기에는 무언가 우리가 원하는 것이 있을 거라고 굳게 믿고, 행여나 그것을 남에게 뺏길까 봐 자신의 자리를 뺏길까 두려워 내려가지 못하게 된 것이다. 이제 그들이 탑에 오르는 이유는 다른 애벌레들도 올라서가 아니라 지금까지 열심히 올라온 것을 버릴 수 없어서이다.

하지만 꼭대기에 아무것도 없는 것을 확인한 애벌레들은 왜 그것을 묵인하였을까? 처음 이 책을 읽었을 때는 이해가 잘되지 않았다. 하지만 책을 여러 번 읽어보니 꼭대기에 있는 애벌레들의 심정이 조금 이해가 되는 것 같기도 했다. 자기 삶의 목표였을지도 모를 탑의 꼭대기에 아무것도 없다는 사실을 알아 버렸을 때 자신이 다른 무엇을 할 엄두가 나지 않았을 수도 있었을 것 같다. 자신에게 주어진 시간의 많은 부분을 낭비했다는 생각으로 '탑의 꼭대기'라는 삶의 목표를 잃고 주저앉아 버린 애벌레들은 결국 삶의 의욕을 잃었을 것이다.

작가가 나비가 되는 애벌레를 굳이 늙은 애벌레로 정한 이유도 조금 알 것 같다. 삶의 대부분을 사용하고 나서야 자기 안에 꽃들에게 희망을 전달하는 나비가 있음을 깨달은 늙은 애벌레를 통해 끝까지 희망을 품고 용기를 내는 모습을 보여 주려 했던 게 아닐까. 많은 애벌레가 나비가 된다 해도 나비가 되는 데 들인 시간과 노력은 각기 다를 것이다. 나는 나비가 되기로 결심하고 힘들어도 끝까지 노력한 늙은 애벌레가 존경스러웠다.

만약 세상의 모든 사람들이 하나의 직업을 가지기 위해 공부를 하고 시간을 들인다고 생각해 보자. 우리도 다른 사람을 따라서 같은 공부를 시작할 것이다. 하지만 정말로 그 직업을 가지면 행복할까? 분명 행복한 사람도 있을 것이다. 하지만 불행한 사람이 더 많을 것이다. 그러다 어느 날 자신이 진정으로 하고 싶은 것을 알게 된다면 기꺼이 그간의 노력을 버리고 자신이 하고 싶은 것을 다시 시작할 수 있을까? 몇몇 사람들은 두 선택지 속에서 갈팡질팡하며 계속 그 자리에 머물러 있을 것이다. 새로운 시작을 선택하는 것에는 엄청나게 큰 용기가 필요하기 때문이다. 나도 그중 한 명일 수도 있다. 하지만 아름다운 날개를 펴고 꽃들에서 꽃으로 날아다니는 단 한 마리의 나비라도 보게 된다면 방황하던 사람들은 희망을 품게 될 것이다. 그렇게 희망을 전달하는 사람이 많아진다면 수많은 애벌레의 탑들은 점점 없어지게 될 것이다.

애벌레로서의 삶을 포기하고 나비가 되기 위해 노력했지만 만약 나비가 되지 못한다면 어떻게 될까? 늙은 애벌레는 애벌레의 삶을 포기할 정도로 나비가 되기를 간절하게 빌면 나비가 될 수 있다고 말하였다.

하지만 현실은 다르다. 자신이 진정으로 무엇을 이루고 싶은지를 정확히 알고 정말 간절히 바라고 노력해도 이루어지지 않는 경우가 많을 것이다. 모든 사람이 하늘을 자유롭게 날아다니는 나비가 될 수 있다면 좋겠지만, 되지 못하는 사람도 분명히 있을 것이다. 오히려 그런 사람이 더 많을지도 모른다. 물론 실현 가능성이 없는 목표였을 수도 있지만 단지 운이 좋지 않아 나비가 되지 못할 수도 있다. 그렇게 되면 할 수 있는 게 무엇이 있을까? 나비가 되기 위해 노력한 자신을 자랑스럽게 여기며 기뻐해야 할까? 나비가 되지 못했는데 기뻐할 사람은 없겠지만, 그런 자신도 인정하고 받아들여야 또 삶을 살아갈 수 있다. 나비가 되지 못했거나 나비를 모르는 사람, 나비가 되기를 시도하는 것 자체를 두려워하는 사람들이 모이고 모여 목적 없이 높은 곳에 도달하고 싶어 하는 애벌레의 탑이 된 것이라고 생각한다.

그런데 다른 애벌레들을 따라 탑을 오르는 것이 나쁜 걸까? 자신이 당장 할 수 있는 선택지 중 한 가지를 도전하는 것인데 나쁘다고 말할 수는 없다고 생각한다. 언제든 다시 내려올 용기만 있다면 이렇게 꼭 목표를 정하지 않고 한 일이라도 아무것도 하지 않는 것보단 좋지 않을까? 그렇게 생각해 보니 삶에서 최고의 선택이란 건 없는 것 같기도 하다.

살면서 자신이 무엇을 진정으로 원하거나 되고 싶어 하는 것을 명확하게 아는 사람은 거의 없을 것이라고 생각한다. 과연 우리에게 주어진 시간 동안 우리가 진정으로 원하는 것이 무엇인지 고민해 본 적은 있을까? 삶의 사전적 의미는 사는 것의 목적, 살아있는 것의 가치이다. 하지만 삶의 의미가 이런 간단한 단어들로 정의될 것 같진 않다.

사람들은 살기 위해 일한다. 그렇다면 사람들은 무엇을 위해 살아갈까? 우리가 태어나자마자 갑자기 삶의 의미가 생겨나는 것은 아니라고 생각한다. 나는 삶의 의미는 우리가 찾거나 만들어 가는 것이라고 생각한다. 늙은 애벌레처럼 자신 속 나비를 늦게 찾을 수도 있고 나비가 되지 못할 수도 있다.
'그럼 내 삶의 목표는 무엇일까?' 하는 의문이 들었다. 내가 어떤 삶의 목표를 이루고 그래서 그 삶의 목표가 사라진다면 나에게 삶을 사는 이유도 사라질 것이다. 그래서 나는 삶의 목표를 계속해서 찾는 것 자체가 삶의 의미라고 생각한다. 내가 생각하기에는 삶의 목표는 꼭 한 가지가 아니다. 인생은 선택의 연속이다. 어떤 인생을 선택하든 후회는 따라올 것이다. 그래서 자신이 무엇을 원하는지 고민하는 것이 정말 중요하다.

어떤 애벌레는 나비가 된다. 하지만 거기서 삶이 끝나는 것은 아니다. 또 나비가 된 애벌레들은 다른 목표를 정하고 꽃에서 꽃으로 희망을 전하며 서로 원하는 곳을 날아다녔다. 또 어떤 애벌레들은 나비가 되지 못한다. 그들이 비록 나비가 되어 이곳저곳을 날지는 못하더라도 다른 의미 있는 일을 찾아 나설 것이다.

모두가 생각하는 삶의 의미는 다르다. 개개인의 방법은 모두 다르더라도 각자 자신의 소망을 실현하고 다른 사람들에게도 희망을 전하면서 함께 희망이 넘치는 세상을 만들어 가면 좋겠다.

* * * *

어린 왕자

"가장 중요한 건 눈에 보이지 않아."

- 생택쥐페리 -

모든 사람은 어른이 되고 늙으며 조금씩 죽음으로 다가간다. 그러나 모두가 훌륭한 일을 하고 남들에게 희망을 주지는 않는다.

한 아이가 있었다. 그 아이는 화가가 되기를 꿈꿨다. 어느 날 체험담이란 책 속에서 보아 뱀이 먹이를 통째로 삼키는 걸 본 아이는 코끼리를 삼킨 보아 뱀을 그려 주변 어른들에게 보여 주고 다녔다. 그럴 때마다 어른들은 차라리 산수나 지리학을 배우라고 권유했고 결국 아이는 화가라는 꿈을 포기하게 되었다. 그 후 아이는 비행기 조종사가 되었고 사람들을 만날 때마다 무엇을 그린 그림인지 물어보았다. 하지만 모두 '모자'라고 대답하며 정치나 넥타이 같은 이야기를 했고, 어른들은 좋은 사람 하나를 알게 되었다며 만족했다. 어느 날 그가 조종하던 비행기가 갑자기 망가져서 사막 한가운데에 떨어지게 되었다. 해가 질 무렵 어디선가 목소리가 들려왔다.

"양 한 마리만 그려줘!"

당황스럽게도 갑자기 나타난 남자 아이가 자신을 쳐다보고 있었다. 그가 양 여러 마리를 그려 줬지만 어린 왕자는 각기 다른 이유를 말하며 다시 양을 그려 달라고 했다. 짜증이 나기 시작해 상자 하나를 그려 주며 원하는 양은 상자 안에 있다고 말하며 그림을 주었다. 그러자 어린 왕자는 기뻐하며 그림을 받았다. 어린 왕자에게 어디에서 왔느냐고 묻자, 그는 다른 별에서 왔다면서 자신이 사는 별에는 작은 화산 두 개와 아름다운 장미 한 송이가 있다고 했다.

어린 왕자는 어느 날 장미가 핀 것을 발견했다. 어린 왕자는 아름다운 장미의 모습에 반하게 되었다. 장미는 자존심 때문에 어린 왕자를 슬프게 하고 맘대로 부렸다. 그래도 어린 왕자는 묵묵히 장미를 돌보았다. 장미는 어린 왕자에게 해준 거라곤 없지만 그래도 어린 왕자는 장미를 사랑했다. 어린 왕자가 떠나기로 하자 꽃은 화를 내지 못하고 행복을 빌어 주었다. 떠난 후 어린 왕자는 생각했다.

"나는 그때 아무것도 이해하지 못했어! 꽃의 말이 아닌 행동으로 판단해야 했어. 내게 향기를 전해 주고 즐거움을 주었는데……. 그 꽃을 떠나지 말았어야 했어!"

어린 왕자는 수많은 별 사이 어딘가에 있을 장미를 생각하며 별을 바라보며 후회했다. 장미는 모르는 것이 많았다. 어린 왕자를 어떻게 대해야 할지, 자신은 어디서 왔는지 등 많은 것들을 몰랐다. 또 장미는 어린 왕자에게 관심을 받고 싶어 했던 것 같다. 그래서 필요 없는 것들도 필요하다고 하며 어린 왕자를 불렀던 게 아닐까? 하지만 좋은 방법은 아니었다. 장미는 몰랐기에 배려하지 못했고, 상처를 주었던 것 같다.
우리는 아는 것에 비하여 모르는 것이 더 많다. 어린 왕자가 그랬듯 우리도 우리 주변의 소중함도 잘 모른다. 자신은 나름 아끼고 소중히 대한다고 생각한다. 하지만 그 무언가가 갑자기 없어져 버린다면 자신이 얼마나 소중한 것들에 관해 무관심했는지를 알게 될 것이다.

어린 왕자는 별들을 여행하며 다양한 어른들을 만났다. 그중에서 가장 기억에 남는 어른은 사업가였다.

사업가는 별들의 숫자를 세고 있었다. 어린 왕자가 별의 개수를 왜 세느냐고 묻자 부자는 자신이 센 별들은 자신의 것이라는 생각을 자신이 가장 먼저 하였으니 최대한 별들의 개수를 세는 것이라 말하였다. 사업가는 별들을 가능한 한 많이 소유하고 싶어 했다.

"나는 머플러를 가지고 있을 땐 그걸 목에 두르고 다녀요. 그리고 꽃을 소유하고 있을 땐 그걸 꺾어 다닐 수 있고. 하지만 아저씨는 별들을 꺾을 수가 없잖아요!"

어린 왕자가 묻자 사업가는 자신이 그것들을 은행에 맡길 수 있다고 말했다. 어린 왕자가 별들을 소유하는 어떤 유익함도 없지 않냐고 말하자 사업가는 아무 말도 할 수 없었다.

현실을 외면하며 사는 사람, 모든 것을 다스리기를 원하지만 아무 노력도 하지 않는 사람, 어떤 한 일에 다른 시간을 모두 써 아무것도 하지 못하는 사람들이 어린 왕자가 보았던 어른이었다.

내가 생각하기에 어린 왕자가 생각한 어른은 동심을 잃어버린 사람인 것 같다. 우리도 주변에서 겉만 보고 판단하는 어른들을 종종 마주하게 된다. '코끼리를 삼킨 보아 뱀'을 보고 그저 모자일 뿐이라 어른들은 말한다. 어른이 되면서 쉴 새 없이 일하고 상처받으며 동심을 잃어간다. 그렇게 우리에게도 비단뱀은 점점 모자로 변해갈 것이다.

이 책을 처음 읽었을 때 나는 사업가가 시간을 낭비하며 살고 있다고 생각했다. 하지만 여러 번 읽어보니 사업가에게서 조금만 더 생각하면 아무 의미 없는 일을 계속하고 있는 내 모습을 찾아볼 수 있었다. 어린 왕자가 했던 말을 기억하고 자기 자신에게 의구심을 품는다면 나는 사업가가 바뀔 수 있다고 생각한다. 작가도 이 책을 읽는 어른들에게 어린 왕자가 사업가에게 해주었던 말을 하고 싶었던 것 같다. 사실 바뀔 수 없는 사람은 없다. 무엇이 잘못되었고 또 무엇을 바꿔야 하는지 모르는 사람과 무엇이 잘못됐는지 알 수 있는 데도 바꾸려 하지 않는 사람이 있을 뿐이라고 생각한다. 내가 생각하는 어른은 알 수 있는 데도 바꾸려 하지 않는 사람이다. 그런 어른들 사이에서 사는 아이들은 아이로 남지 못할 것이다.

우리는 계속 현실을 마주하고 있다. 하지만 만약 현실만을 본다면 우린 그냥 어른이 될 것이다. 물론 현실을 외면하고 살아갈 수는 없다. 나도 언젠가 독립하게 되면 뱀 속의 코끼리를 상상할 시간도 없이 바빠질지도 모른다. 때로는 가로등의 불을 켜던 사람처럼 일만 할 것이고 때로는 사업가처럼 의미 없이 숫자만 세기도 할 것이다. 하지만 어딘가에 있는 장미를 생각하며 별을 바라만 보아도 행복할 줄 아는 사람이 되면 좋겠다.

처음 비행기가 사막으로 떨어졌을 때 주변에는 아무도 없었다. 내가 만약 그 상황에 놓이게 된다면 나는 무척 외로울 것이다. 아무도 없는 사막이기 때문이다. 사람들은 예전의 생활보다 지금의 생활이 훨씬 더 낫다고 생각한다. 확실히 옛날보다는 지금이 훨씬 더 물질적으로 풍요로워졌다고 생각한다. 하지만 지금은 사람들은 남과 친밀한 관계를 맺으려고 하지 않는 것 같다. 시간이 지날수록 더욱 다른 사람들을 믿지 않고 홀로 지내는 시간이 늘어가는 것 같다. 그래서 사람들은 사람으로 넘쳐나는 도시 속에서도 외로움을 느끼며 우울해한다.

어린 왕자에 나온 여우도 외로움을 느꼈을 것이다. 매일 닭을 쫓고 그 자신을 쫓는 사람들을 보며 외로웠을 것이다. 그래서 어린 왕자에게 자신을 길들여 달라고 한 것 같다. 매일 같은 시간 같은 장소에 나와 조금씩 가까이 앉으며 자신을 길들여 달라고 말했다.

"너도 내가 필요하지 않고. 너에게 나는 수많은 다른 여우들과 다를 바 없는 한 마리 여우일 뿐이거든. 하지만 네가 나를 길들인다면 우리는 서로 필요하게 되는 거야. 너는 나에게 이 세상 단 하나뿐인 아이가 되는 거고, 나는 너에게 이 세상 단 하나뿐인 여우가 되는 거지.”

서로가 수천 명 중 단 한 사람이 되어준다면 매일 설레고 기대될 것이다. 아무것도 없는 황폐한 사막 속에서 서로가 서로의 오아시스가 되어주는 것이다. 여우와 헤어진 후 어린 왕자는 다시 외롭다고 생각하게 되었다. 누군가에게 길들여진다는 것은 눈물을 흘릴 일이 생긴다는 걸지도 모른다. 소중한 것이 생기고 헤어지게 된다면 슬플 테니까. 하지만 그렇기에 어딘가에 있을 소중한 것을 상상하며 별들이 아름다워지는 것 같다.

나는 어른이 되면 소중한 것들이 더 많이 생긴다고 생각한다. 어린 왕자는 어른을 싫어했다. 나도 어른이 되는 것은 좋지 않다고 생각한다. 하지만 언제까지나 우리의 어린 마음을 지킬 수 있을까? 난 아니라고 생각한다. 어른들이 넘쳐나는 이 세상에서 아이로 여전히 남는다는 것은 불가능에 가까울 것이다. 만약 세상이 어린 왕자가 말한 어른이 아닌 사람으로 가득 차게 된다면 우린 어른이 되지 않을 수 있을까?

어른들은 아이들의 이야기를 잘 들어 주지 않는다.

“난 아주 중요한 일을 하고 있어!”

어른들은 중요한 일을 한다는 이유로 아이들을 무시한다. 작가는 어른들도 어린이였다고 말했다. 당연히 우린 모두 어린이로 시작해 어른이 된다. 작가는 어른이 되는 것에 대해 그리 좋지 않게 생각했던 것 같다. 왜냐하면 어린 왕자 속 어른들의 모습은 행복해 보이지 않았기 때문이다. 우리는 어떻게든 어른이 된다. 일찍 어른이 된 사람도 있고 늦게 어른이 된 사람도 있을 것이다. 그렇지만 어떤 어른이 될지는 우리가 선택할 수 있다. 자신을 부끄럽게 여겼던 주정뱅이 같은 어른이 아닌 자신의 삶을 가꾸고 수천 송이의 꽃 중 자신만의 소중한 꽃을 볼 줄 아는 어른이 되고 싶다.

* * * * * * *

올리버 트위스트

"올리버는 죄수처럼 어두운 방에 남아있었다.
하루 종일 슬프게 울었다.
긴 밤이 찾아오면 자그마한 두 손을 눈에 얹고
어둠을 가린 채 잠을 자려 애썼다."

- 찰스 디킨스 -

우린 모두 다른 조건에서 태어난다. 주변의 환경, 타고난 재능 등 모두 다른 것을 지니고 태어나는 것이다. 이런 조건들이 다르더라도 우리는 그것을 받아들이고 살아갈 수밖에 없다. 남들이 가진 것들이 자신에게 없다 하더라도 자신의 힘으로 어찌할 수 없으니 그렇게 살 수밖에 없다고 생각하는 것이다.

나는 나보다 운동을 잘하거나 말을 잘하는 친구들을 보며 부러워했던 적이 많았다. 저 아이들은 원래부터 재능을 타고난 것 같은데 나는 남보다 잘하는 것이 무엇일까 하고 생각했다. 하지만 그때마다 나에게 있는 재능을 찾지 못하고 낙담했다. 세상은 넓고, 그래서 나보다 무언가를 잘하는 사람들은 어딜 가나 넘쳐나는 것 같다. 예전에는 나보다 무언가를 잘하는 사람들을 외면할 때가 많았다. 별로 알고 싶지도 않았고 자꾸 볼 때마다 나와 비교하게 되기 때문이었다. 하지만 지금은 달라진 것 같다. 여전히 나보다 무언가를 잘하는 사람을 보면 질투가 나기는 하지만 전보다는 무덤덤하게 보게 되었다. 내가 '태어날 때부터 정해진 것'이라고 생각했던 것들이 대부분 내가 잘 되지 않을까 무서워서 '노력해도 바뀌지 않는 것'이라고 단정 지었다는 걸 알게 되었기 때문이다.

남들과 비교하는 건 의미가 없다고 생각한다. 보는 사람마다 자신과 비교하며 자신을 깎아내리고 또 혼자 우쭐해지는 것이 의미가 있을까? 자신과 남을 비교하며 자신의 부족한 점을 알고 개선하겠다는 마음을 가지면 괜찮겠지만 그게 아니라면 쓸모 없는 생각을 하며 시간을 낭비하게 될 것이다.

우리는 좀 위험해 보이거나 불가능할 것 같은 선택을 여러 변명으로 외면한다. 올리버의 부모가 살아 있어서 그를 잘 돌봐 주었다면 어린 시절을 순탄하게 보낼 수 있었을 것이다. 가끔은 올리버도 자기 부모가 자신을 아끼고 사랑해 주는 상상을 했을 것이다. 하지만 올리버는 불행을 핑계 삼아 자신을 외면하지는 않았던 것 같다.

안 된다고 생각하던 일에 도전하는 것은 두렵운 것이 당연하다. 또 어떤 일에 도전했을 때 능숙하게 해낼 수 있는 일보다 잘하지 못하는 일이 더 많을 것이다. 그리고 점점 잘 안되면 어떡하지 하는 생각이 들면서 자신이 투자하고 있는 노력과 시간은 점점 아까워지고 확신이 서지 않을 것이다. 하지만 실패하더라도 그것을 통해 자신에 대해 알게 되는 것이다. 실패의 두려움에 외면했던 자신을 알아가는 것도 충분히 가치 있는 것 같다.

올리버 트위스트에서 올리버는 태어난 지 얼마 안 되어서 고아가 되었고, 구빈원으로 들어가 온갖 구박과 학대를 받았다. 그러다 장의사와 일하게 되었지만, 아이들은 여전히 그를 괴롭혔다. 결국 올리버는 런던으로 도망쳤다. 빈손으로 거리를 헤매던 도중 한 소년을 만났고 소년을 따라 도둑무리에 들어가게 되었다. 그러다 도둑질한 것을 들켜 도망갈 때 아이들은 올리버를 버리고 가버렸다. 올리버는 몸도 좋지 않은데 경찰에게 잡혀 교도소에 들어가게 될 위기에 처했지만, 도둑질을 당한 노신사가 이를 딱하게 여겨 올리버를 데려가게 되었다. 도둑무리가 올리버를 다시 납치하지만, 올리버는 도망쳐 나오고, 결국 노신사의 손자인 것이 밝혀져 이후 따뜻한 사랑을 받으며 이야기는 끝난다.

어른들은 어린아이였던 올리버를 학대했다. 하지만 이런 시련에도 올리버는 순수한 마음을 잃지 않았다. 사람들은 자신에게 시련이 닥쳐왔을 때 대부분 주변의 도움을 요청한다. 그래서 주변의 도움이 갑자기 없어진다면 어떻게 해야 할지 스스로 생각하지 못하게 된다. 하지만 자기 힘으로 사는 사람은 자신만의 선택지를 찾아 문제를 해결할 것이다. 물론 도움을 받는 것이 당연히 더 편하다. 하지만 혼자서 무언가를 해낸다면 그 사람은 이제 도움을 받는 사람이 아닌 도움을 줄 수 있는 사람이 되는 것이다. 남에게 도움을 줄 수 있는 사람은 자기 삶도 책임질 수 있을 것이다. 나이가 많다고 해서 자기 삶을 모두 책임질 수 있는 건 아닌 것 같다. 나이는 많은데도 여전히 남의 도움 없이는 살 수 없는 사람이 있고, 나이는 적지만 자기 삶을 책임질 준비가 된 사람도 있다. 삶에 대한 책임을 진다는 것은 단순히 자신이 먹고살 만큼의 돈을 벌 수 있는 사람이라는 뜻은 아니라고 생각한다.

내가 생각하는 책임감 있는 사람은 자신의 선택에 책임을 질 줄 아는 사람이다. 책임의 사전적 정의는 자신이 행사하는 모든 행동의 결과를 부담하는 것이다. 우린 태어날 때부터 자신이 하는 일에 대하여 책임진다는 건 생각도 하지 못한다. 우리는 자라면서 자신이 한 일에 대하여 책임을 지는 어른을 보고 배운다. 같은 것을 보고 배운다고 하더라도 배운 것을 실천하는 사람이 있고 실천하지 않는 사람이 있다. 만약 아무도 자신이 한 일에 관해 책임을 지지 않는다면 사람들은 얼마 못 가 자멸할 것이다. 사람들은 그런 세상이 두려워 법을 만든 것 같다. 강제적이더라도 자신이 남에게 피해를 준다면 책임을 지고 보상하게 하는 것이다. 법은 대부분 사람이 지키기에 힘을 가졌다. 우리가 모두 무언가를 하지 않겠다고 약속하고 지킨다면 그 약속은 쉽게 깰 수 없는 것이다.

올리버가 구빈원에 있던 시기에는 아이를 때리고 굶기는 일이 빈번하게 일어났다. 그렇지만 아무도 뭐라 하지 않고 알려고 하지도 않았다. 대부분 다 그렇게 하니까 라고 생각한 것 같다.

"제발요, 조금만 더 주세요."

배가 고팠던 올리버는 관리자에게 죽을 더 달라고 했다. 배고픈 아이가 밥을 더 달라고 하는 것은 나쁜 게 아니다. 하지만 구빈원의 어른들은 올리버를 때리고 방에 가뒀다. 그러고는 올리버에게 일을 시키라고 아이들에게 말하며 오히려 올리버를 괴롭혔다. 이런 사회에서 자라 어른이 된 대부분의 아이는 자신을 학대했던 어른처럼 될 것이다.
아이들이 겪는 일들이 자기 일이 아닌 것에 안도하는 사람들이 적었더라면 이런 일은 없었을 것이다. 오히려 관리자 같은 사람이 비

난받았을 것이고 점차 없어졌을 것이다.

올리버는 노신사의 손수건을 훔쳤다는 누명을 쓰게 되었다. 올리버는 몸 상태가 좋지 않아 힘겹게 물을 달라고 말했지만 행정관은 이를 무시했고 결국 올리버는 쓰러졌다. 행정관은 귀찮은 듯이 말했다.

"유죄. 3개월 동안 감옥살이다. 그냥 내버려 둬. 지겨워지면 곧 일어날 테니까."

그 당시 왕이나 귀족들같이 사회를 바꿀 수 있을 만큼 큰 힘을 가지고 있는 사람들은 그 힘에 대한 책임을 지지 않고 자신의 사리사욕을 채우기 위해 힘을 사용했다. 대부분 그것을 당연하다고 여기던 그 시대에, 올리버 트위스트의 작가인 찰스 디킨스는 사람들이 그것이 이상하다는 것을 깨닫게 하고 싶었던 것 같다. 그런데 작가 혼자 이 사회의 부당함을 알아차렸다고 한들, 개인의 주장으로는 바꿀 수 있는 것이 없었을 것이다. 사회는 생각보다 쉽게 개인의 주장들을 외면하고 무시하니까 말이다. 그래서 글을 통해서라도 그런 생각을 보여주려고 했던 게 아닐까?

"하지만 이건 괜찮은 생활이야. 돈이 어디에서 오는지 상관할 거 없잖아, 안 그래? 네가 훔치기 싫다면 다른 사람이 훔칠 거라고!"

도둑무리에 있던 도저는 올리버에게 도둑무리에 남으라며 설득했다. 도저는 도둑질이 당연했을 것이다. 어릴 때부터 도둑질로 생계를 유지해 왔기 때문이다. 하지만 도둑질이 나쁜 것임을 알았던 올리버는 이를 거절했다. 처음엔 도저도 도둑질이 나쁜 것임을 알았을 것이다. 그러나 도둑질에 익숙해진 나머지 머리로는 남의 것을 훔치는 일임을 이해했지만, 마음으로는 이해하지 못한 것 같다.

하면 안 될 것 같은 일을 하게 되면 처음에는 거부감을 느끼며 하지 않으려 한다. 첫 번째에는 양심의 가책을 느끼며 하지만 두 번째, 세 번째가 되면서 점점 쉬워질 것이다. 이런 일이 반복되면 그 일은 더 이상 하면 안 된다고 느끼지 않는다. 그 일에 대해 무감각해진다면 점점 더 정도가 심해지게 되고 결국은 어릴 때의 자신이 보았다면 깜짝 놀랄 자신을 보게 될 것이다. 하지만 어린 내가 지금의 나에게 조언을 해주더라도 납득은 할 수 있을 것 같지만 진지하게 받아들이지는 못할 것 같다.

나는 어릴 때, 숙제를 다 하지 못하면 자책하고 반성했다. 하지만 비슷한 일이 반복되자 숙제를 못 하게 되면 잠깐 후회하고 다른 일을 하게 됐다. 하다 보니 별일 아닌 듯이 넘어가게 된 것이다. 이 글을 쓰는 동안 내가 하지 않으려고 했던 일이 어쩌다 보니 일상이 되었던 경우를 생각해 보았다. 그랬더니 어릴 때는 정말 하지 않을 것이라고 생각했던 일을 서슴없이 하는 나를 보게 되었다. 이미 그런 일들이 익숙해진 지금 갑자기 변하기는 어렵겠지만 그럴 때마다 예전의 자신을 떠올리며 반성하는 것도 좋을 것 같다.

“싫어. 제발 나를 보내 주면 좋겠어.”

올리버는 도둑무리에 끌려가 도둑질하라고 협박당했지만, 자신의 신념을 지키며 끝까지 도둑들의 요구를 거절했다.

눈앞에 위기가 찾아오더라도 쉬운 길을 선택하지 않고 올바를 길을 선택하는 사람들 덕분에 사람들은 더 올바른 삶을 살 수 있는 것 같다. 나는 이미 올바른 길보다는 쉬운 길을 더 많이 선택한 것 같지만, 남이 올바른 길을 선택하는 것을 도울 수 있는 어른이 되고 싶다.

김성운
**
41

작가 후기

나는 허구나 올리버처럼 부모님을 일찍 여의지도, 누군가에게 납치되지도 않았다. 나의 삶에는 큰 위기가 없었다. 15년간 평범하게 크고 작은 선택을 하고 살면서도 나의 선택에 관해 별로 생각해 보지 않았다. 하지만 책 만들기 프로젝트를 하며 점점 내가 어린 왕자에 나온 어른들과 남을 따라 탑을 올랐던 애벌레처럼 되고 있다는 것을 알게 되었다. 평소에 독후감 수업을 할 때는 열심히 글을 쓴 적도 있었지만 수업이 끝나기를 기다린 적도 많았다. 그런데 수업을 갑자기 하지 않는다고 한다면 아쉬울 것 같았다.

내 시간의 대부분을 차지하는 학교 가는 일이나 공부마저 나의 선택이 아니있다고 생각하게 되었다. 이 사회에서 살아가는데 학교와 공부는 필수적이다. 하지만 우린 대부분 강요에 의해 공부하는 것 같다. 우리 삶의 주인인 우리 자신이 아니라 남이 우리의 시간을 결정하는 것이다. 그래서 꼭 공부가 아니더라도 어차피 해야 하는 일이라면 우리가 스스로 하는 게 더 좋을 것 같다. 남이 시켜서 한다면 시키는 것만 할 뿐 더 나아가지 못하기 때문이다.
이번에 독후감들을 쓸 때도 처음엔 내가 선택해서 한다는 느낌보다 남이 시켜서 한다는 느낌이 강했다. 하지만 내가 글쓰기를 선택했고 나의 의지로 글을 쓴다고 생각하자 전보다 더 즐거운 마음으로 글을 쓸 수 있었다.

선택과 후회를 주제로 글을 쓰며 지금의 내가 예전보다 더 나아진 것은 무엇인지 또 더 나빠진 것은 무엇인지 생각하게 되었다. 나빠진 것과 좋아진 것을 생각하다 보니 점점 나빠진 것만 생각하고 좋아진 것들은 거의 생각하지 않게 되었다. 우리는 우리의 좋은 면을 보지 못해 남이 되려고 노력하는 것 같다. 무조건 좋은 면만 보는 것도 좋지 않지만, 우리의 좋은 면을 봐주는 사람이 있다면 더 행복해질 것 같다.

나는 글을 쓰며 선택은 많이 할수록 좋다고 생각했다. 그리고 실제로도 그랬다. 선택에 따른 후회를 했고, 후회를 통해 여러 가지를 생각하고 배웠다. 하지만 우린 선택에는 책임이 따른다는 것을 잊으면 안 된다. 지금은 부모님이 나의 삶을 책임져 주고 계시지만 그걸 당연하다고 생각해서는 안 된다고 생각한다. 우리의 삶을 책임지고 더 나아가 남에게 도움을 줄 수 있는 사람이 되려고 노력하면 좋겠다.

김성운

＊＊

2

슬픔아, 행복해도 괜찮아!

죽이고
싶은 아이

양나혜

나는 활발하지만 신중한 편이다. 너무 신중해서 가끔은 결정을 못 하기도 한다. 하지만 한번 결정하면 끝까지 지키려고 노력한다. 나의 꿈은 환경과학자이다. 오염되고 있는 환경을 지키기 위해 항상 노력하고 있다. 지금은 꿈을 이루기 위해 열심히 공부하고 있다.

플랜더스의 개

나의 라임 오렌지나무

죽이고 싶은 아이

순례 주택

* * * * * *

플랜더스의 개

"사람들에게는 우리가 필요치 않아.
우리는 외톨이야."

- 위다 -

나는 눈물이 없는 편이다. 몸이 심하게 아프거나 누가 괴롭힐 때가 아니면 잘 울지 않는다. 더군다나 책을 읽고 울었던 기억은 거의 없다. 그래서 눈물이 날 만큼 마음을 울렸던 책은 기억에 아주 오래 남는다. 그중 하나가 <플랜더스의 개>다. 플랜더스의 개에서는 넬로라는 어린아이가 나온다. 넬로는 너무 가난하고 부모도 없다. 그러던 와중에 파트라슈라는 개를 만났고, 둘은 한동안 누구도 부럽지 않을 만큼 행복하게 지냈다. 그렇게 끝나면 좋았겠지만 결국 마지막에는 둘 다 죽는 비극으로 끝난다. 나는 마지막 장면에서 두 주인공이 너무 불쌍하고 슬펐다.

나는 내가 넬로라면 어땠을까 하는 생각을 여러 번 해봤다. 그래서인지 가끔은 꿈도 꾼다. 꿈에서 나는 넬로였다. 나는 죽은 파트라슈를 껴안으면서 지나가던 사람도 짠할 만큼 서럽게 울고 있었다. 나는 너무 무서웠다. 세상에 나 혼자만 있어서 무서웠다. 내 편은 모두 다 죽고 나를 원하지 않는 사람들만 있어서 외로웠다. 할 수만 있다면 나도 파트라슈 곁에서 같이 죽고 싶었다. 그리고 나는 잠에서 깼다. 눈물이 조금 나 있었다. 꿈이란 걸 알고 나서도 무서웠다. 나도 넬로처럼 되면 어떡하지? 만약 그런 상황이면 나는 이겨낼 수 있을까?
이 꿈을 꾼 뒤로 나는 전보다 더 넬로가 되어 생각할 때가 많아졌다. 그럴 때마다 내 주위에 있는 사람들에게 더욱 고마워진다. 부모님, 친구들, 언니, 조부모님, 선생님 같은 소중한 사람들이 있기에 내가 어떤 시련이 와도 이겨낼 수 있다고 생각하기 때문이다.

또 나는 어떤 시련이 와도 이겨낼 수 있으려면 내면의 힘이 필요하다고 생각한다. 내 평생의 삶 동안 나에게 닥쳐올 시련은 생각보다 훨씬 더 많을 것이기 때문이다.
나는 어릴 때 자주 혼났다. 그리고 어린 나에게는 혼나는 것이 최고의 시련이었다. 그때의 나에게는 책밖에 없었다. 혼이 나서 방에 혼자 있을 때면 나는 책을 읽었다. 현실의 아픔을 잠시 잊고 책의 나라에 가서 모험을 즐기고 왔다. 어느 날에는 난 우주비행사가 되어 우주로 모험을 떠났고, 언제는 해적선의 해적왕이 되어서 멋지게 보물을 찾아냈다. 책의 나라에 갔다 오면 나는 무적이 되었다. 엄마, 아빠도 무섭지 않았다. 어린 시절의 나는 책을 통해 힘든 시간을 잘 견딜 수 있었던 것 같다.
하지만 요즘은 책으로 이겨낼 수 있을 만큼 시련이 가볍지 않다. 책을 읽을 시간도 없고, 별로 읽고 싶지도 않다. 그래서 요즘 내가 시련을 이겨내는 방법은 책의 나라가 아닌 인터넷의 나라에 가는 것이다. 말하고 보니 너무 별로다. 사실 시간이 없다는 것도 변명이다. 인터넷을 보면 책을 볼 때 보다 더 많은 시간을 잡아먹는다. 계속 보면 깊이 빠져들어 나중에는 정말 시련을 이겨낼 수가 없다. 그렇게 되면 그냥 현실에서 벗어나 다른 나라로 도망치는 겁쟁이가 되는 것이다.

이제 나의 시련을 이겨내는 방법을 바꿀 때가 됐다. 무엇이 좋을까? 나 혼자서는 도저히 생각이 안 나서 우리 가족들에게 물어봤다.
엄마는 힘든 일을 잊으려면 몸이 힘든 게 최고라며 운동을 한다고 했다. 몸이 힘들면 시련이 더해지는 것 아닌가? 난 이해가 잘 되지는 않는다.
아빠는 술이랑 골프라 했다. 드라마에서 많이 나온 것처럼 술을 마시면 인생의 쓴맛이 좀 덜 해지는 걸까? 이것도 괜찮을 것 같은데 나는 아직 미성년자이고, 술을 마시면 몸이 나빠지니 이건 패스다. 그리고 골프는 재미있겠지만 장비를 준비하려면 돈도 많이 들고, 시련이 찾아올 때마다 무작정 나가서 골프를 칠 수도 없으니 이것도 패스다.
마지막으로 언니는 노래와 만화책으로 시련을 이겨낸다고 했다. 노래 듣는 것도 좋은 것 같다. 노래를 들으면 마음도 안정되고, 기분이 나아져서 시련에 대한 걱정도 사라지기 때문이다. 하지만 너무 시간이 오래 걸린다. 나는 노래를 거의 한 시간은 들어야 마음이 진정되고, 걱정이 사라진다. 만화책 보기도 괜찮은 것 같은데 만화책은 한 번 보면 계속 보게 된다는 것이 단점이다. 그러면 시련을 이겨내기에는 정말 좋은데 그날 하루는 날렸다고 보면 된다.

가족들의 대답에서는 별로 좋은 것을 찾지 못했다. 대부분 시간이 너무 오래 걸리거나 내가 하기 싫은 것뿐이다. 나는 시간이 짧게 걸리면서 시련을 이겨낼 방법이 필요하다. 그런데 계속 생각하다 보니 좋은 게 하나 떠올랐다. 바로 일기 쓰기다. 일기를 쓰면 짧은 시간에도 내 마음을 풀 수 있어서 금방 마음이 가벼워진다. 그리고 자연스럽게 걱정도 줄어든다. 이제 앞으로 마음이 무거울 땐 일기를 써야겠다. 꼭 시련이 있을 때만 쓰는 게 아니라 평소에도 매일 쓸 수 있도록 해봐야겠다.

스스로 시련을 이겨낼 수 있는 방법을 찾다 보니 뭔가 마음이 든든해지는 것 같다. 넬로도 그랬을까? 생각해 보니 나는 꽤 행복한 삶을 살고 있다는 생각이 든다. 나는 지극히 평범하고 화목한 가정에서 태어났기 때문이다. 많은 사랑과 관심을 주시는 부모님, 항상 툴툴거리긴 하지만 나를 응원해 주는 언니, 그 외에도 나를 진심으로 응원해 주고 힘들 때 걱정해 주는 지인들도 있다. 또 나는 배우고 싶은 건 다 배울 수 있고, 부족한 것 없이 지내고 있다. 나의 미래를 위한 선택도, 기회도 많다.
하지만 넬로는 태어날 때부터 매우 가난하게 태어났다. 엎친 데 덮친 격으로 어릴 때 부모님은 모두 돌아가셨다. 하나뿐인 가족인 할아버지는 아프시고, 소중한 친구인 파트라슈는 늙었다. 돈이 없어서 끼니를 못 채울 때도 많았다. 내가 넬로였다면 견딜 수 있었을까? 사실 짐작조차 하기 힘들다. 가난한 것은 결코 넬로의 선택도 잘못도 아닌데 왜 그런 큰 시련을 겪어야 하는 건지 마음이 아팠다.
넬로는 그림에 재능이 있고, 그림을 매우 좋아하는 소년이었다. 넬로가 만약 알루아같이 부잣집에 태어났다면 재능을 발휘해 훌륭한 화가가 됐을 텐데 너무 안타깝다.

세상은 너무 불공평하다. 나는 이런 세상이 싫다. 가끔 혐오감도 든다. 왜 아무 잘못이 없는 사람이 가난하고, 힘들게 태어나야 할까? 왜 항상 기회는 돈 많고 똑똑한 사람에게 먼저 주어질까? 가난한 사람 중에서도 넬로같이 뛰어난 재능이 있는 사람들이 많다. 하지만 이들에게 주어지는 기회는 많지 않다.

우리가 '세 가지 복'을 가지고 태어날 수 있다는 행복한 상상을 해보자. 그럼 넬로는 무엇을 가지고 싶어 할까? 내가 넬로라면 부모님이 평생 건강하신 복, 돈 많은 집에서 태어나는 복, 마지막으로 다시 파트라슈를 키울 수 있는 복을 가질 것 같다.
부모님이 건강하신 복은 부모님이 일찍 돌아가셨으니 넬로는 부모님이 주시는 사랑을 받고 싶을 거라 생각하여 골랐다. 두 번째로 돈 많은 집에서 태어나는 복을 고른 이유는 넬로가 돈이 없어서 이 모든 어려움이 생겼다 해도 틀린 말이 아니기 때문이다. 넬로가 아무리 착하고, 돈에 욕심이 없다 해도 다시 같은 어려움을 느끼긴 싫을 것이다. 마지막으로 다시 파트라슈를 키울 수 있는 복은 파트라슈는 넬로에게 너무 소중한 존재이고, 매우 사랑했으니 분명 다시 키우고 싶을 거라 생각해서 넣었다.

그럼 나는 무엇을 선택할까? 먼저 돈을 많이 벌 수 있는 복을 가지고 싶다. 사실 사람이라면 누구나 가지고 싶어 할 복이다. 돈이 많으면 원하는 것을 쉽게 가질 수 있다. 그리고 어른이 돼서 집을 장만할 때도 걱정할 필요가 없다. 하지만 나는 그냥 돈이 많은 것보다 내가 돈을 잘 벌 수 있는 능력을 갖추는 게 더 좋을 것 같다.

두 번째로는 인복이다. 인복은 많으면 많을수록 좋은 것 같다. 좋은 친구를 만날 수 있고, 나중에 회사 같은데 취직해도 좋은 상사나 동료를 만날 수 있다. 또 사랑하는 사람을 만날 때도 성격 좋고, 이상형인 사람을 만날 수 있을 것이다. 돈이 아무리 많아도 인복이 없어서 주변에 이상한 사람들만 있다면 엄청 힘들고 외로울 것이다.
마지막으로는 외모이다. 나는 외모가 이 험난한 세상을 살아가는데 정말 필요하다고 생각한다. 심지어 내 친구들은 이쁘고 잘생긴 사람은 무슨 짓을 해도 용서받는다고 말할 때도 있다. 정말 그런 건 아니지만, 그 정도로 외모가 중요하다는 뜻일 거다. 외모는 세상이라는 적으로부터 나를 보호할 수 있는 방패 같다.

여기서 그치면 이건 그냥 상상이 되고 나는 허황된 꿈을 꿈꾸는 사람이 된다. 이 복들을 현실에서 이룰 방법이 있을 것이다. 먼저 돈을 많이 벌 수 있는 복은 지금처럼 열심히 공부해서 대학 가고 좋은 직업을 가지면 된다. 열심히 꾸준히 일하면서 저축도 하면 언젠가는 돈이 많아질 것이다. 그리고 인복은 사회생활을 열심히 하면 얻을 수 있지 않을까. 하지만 우선 나부터 좋은 사람이 되도록 노력해야 좋은 사람을 만날 수 있다고 생각한다. 마지막으로 외모는 나 스스로 내가 예쁘다고 생각하면 된다. 친구들이 나보고 '못생겼다', '니 얼굴 진짜 별로다.' 같은 말을 하면 그냥 내가 너무 예뻐서 질투하는 거로 생각하면 된다. 계속 그렇게 생각하면 자존감도 올라가고, 자존감이 올라가면 얼굴에 생기가 생겨서 더 예뻐지게 될 것이다. 그런데 더 중요한 것은 나는 사실 세 가지 복이 없어도 잘 살 수 있다는 거다. 넬로에게는 나의 복을 조금이라도 나누어주고 싶다. 그리고 파트라슈에게도.

책을 읽으면서 가장 가슴이 아팠던 이유는 파트라슈이기도 하다. 넬로는 할아버지와 축제에 가는 도중 버림받은 개, 파트라슈를 보고 키우게 된다. 그 후, 파트라슈는 생기를 찾아 넬로와 잘 지낸다. 둘은 같이 놀기도 하고, 그림 그리기도 하면서 행복한 추억을 쌓는다. 하지만 겨울이 오고 둘은 결국 춥고 힘들어서 죽음을 맞이한다.

나도 소중한 나의 반려동물을 잃은 적은 있다. 바로 '양메출'이라는 이름의 메추리이다. 메추리를 키우는 사람은 거의 없어서 매우 생소할 것이다. 나도 처음 우리 언니가 메추리알을 가져올 때 진짜 놀랐다. 친구들한테 메추리를 키운다고 하면 다 어떻게 생겼는지도 모를 정도였다.

어느 날, 항상 느긋하던 언니가 과학 학원에 갔다가 갑자기 뛰어 들어왔다. 오자마자 언니는 부화기를 설치하고 알을 부화기 안에 놨다. 나는 너무 놀라서 언니에게 물어봤다.

“언니, 저게 무슨 알이야?”
“메추리알이야.”
“메추리? 메추리알 장조림 할 때 그 메추리?”
“응 맞아.”

좀 이상했지만 나는 반려동물을 키운다는 사실이 마냥 기쁘고 신기했다. 그리고 나는 매일 메추리알을 지켜보기 시작했다. 한 15일쯤 지났을 때 부화할 기미가 보이기 시작했다. 16일째 알이 깨지기 시작했다! 알을 깨고 나왔을 때는 물에 젖은 아기새 같았다. 그리고 며칠이 지나자 아기새는 털이 보송보송해졌다.
아기새를 계속 아기새라 부르는 게 이상해서 우리는 이름을 정해 주기로 했다. 여러 가지 이름들이 나왔지만 다 마음에 들지 않아서 고민할 때, 아빠가 우리 집안이 양씨 집안 이니까 양메출로 하자고 했다. 더 좋은 이름이 생각날 때까지 임시로 부르기로 했는데 계속 부르다 보니 맘에 들어서 결국 양메출이 되었다.
넬로와 파트라슈처럼 양메출과 우리에게도 많은 일이 있었다. 메추리 집으로 마땅한 게 없어서 엄청나게 큰 햄스터 집을 샀었던 일, 메추리가 너무 시끄러워서 참다못해 엄마가 메추리를 현관에 둔 일, 메추리가 혼자 날다가 창문에 머리를 부딪혀서 의사인 외삼촌이 치료해 줬던 일 등 재미있고 행복한 추억들을 메추리와 함께 만들었다. 그리고 키운 지 4년 되던 날, 메추리는 세상을 떠났다. 우리는 모두 너무 슬펐다. 메추리를 사람처럼 묻어서 장례도 치러줬다. 지금 메추리는 우리 아파트 옆에서 항상 우리를 지켜주고 있다. 나는 그래서 힘들 때마다 메추리에게 가는데 그러면 마음이 조금 진정되는 느낌이 든다.

그러고 보니 넬로와 나에게는 공통점이 있었다. 바로 엄청나게 사랑하는 반려동물이 있었다는 것이다. 반려동물은 나에게 많은 사랑을 주고 진짜 가족처럼 살아가는 힘이 되어주기도 한다. 넬로에게 파트라슈는 그런 존재가 아니었을까. 넬로와 공통점이 하나라도 있어서 참 좋다. 먼저 간 우리 양메출이 넬로와 파트라슈를 따뜻하게 감싸주면 좋겠다. 그리고 내가 죽었을 때도 천국에서 나를 반겨줬으면 좋겠다. 힘든 상황에 서로 의지하며 많은 시련을 이겨낸 파트라슈와 넬로처럼 나도 내면의 힘을 더 키우고, 소중한 우리 가족과 함께 여러 어려운 시련들을 이겨내며 살아야겠다.

넬로와 파트라슈가 더는 슬프지 않았으면 좋겠다.

* * * * * * * * *

나의 라임 오렌지나무

"엄마, 난 태어나지 말았어야 했어요.
내 풍선처럼 됐어야만 했어요."

- J.M.바스콘셀로스 -

한 기사를 봤는데 자살, 자해를 시도한 사람이 2022년 통계만 봐도 무려 4만 명이 넘는다고 했다. 그중 10대, 20대가 40%를 넘게 차지했다. 20대라는 젊고 아직 미래가 창창한 시기에 살아있을 필요가 없다고 판단한다는 것 자체가 너무 슬프고, 세상이 너무 각박하다는 생각이 들었다.
그런데 나도 가끔 내가 정말 이 세상에 필요한 걸까? 라는 생각을 한다. 이 세상은 나 하나쯤 없어져도 아무 일도 없었다는 듯이 잘 돌아갈 것이다. 그리고 요즘은 전보다 더 삶을 포기하고 싶다는 생각이 많이 든다. 중2가 되면서 시험에 대한 압박감, 친구 사이의 스트레스, 나에 대한 평가 같은 것들은 내가 숨쉬기 힘들 만큼 위에서 나를 세게 짓누른다. 어떤 사람들은 '고작 이런 걸로 삶을 포기하고 싶어진다고? 마음이 너무 약한 거 아니야?'라고 말할 수도 있다. 어쩌면 그런 것 같기도 하다. 그런 생각을 하다가도 또 금방 잊기 때문이다.

친한 언니가 있는데 그 언니는 예전에 거의 매일 자살 이야기를 했다. 근데 그것도 부모 앞에서 '나 진짜 자살할까?' 이렇게 말이다. 나는 그 언니가 그랬다는 말을 들을 때마다 항상 이해가 되지 않았다. 굳이 왜 그런 말을 낳아주고 열심히 키워준 부모 앞에서 하는 거지? 속으로만 생각해도 충분하지 않나? 그 말을 들은 부모가 상처입을 건 생각 안 하나? 근데 언니는 그런 생각이 들지 않는 것 같았다. 말해주고 싶었지만 그러면 정말 나쁜 시도라도 할까 봐 무서워서 못 했다. 다행히 요즘은 많이 나아져서 그런 이야기도 안 하고, 잘 지낸다고 했다. 그래도 언니는 자주 우울한 것 같다. 그런 언니를 보고 있으면 나도 왠지 슬퍼진다. 자기도 슬픈 내색을 하고 싶지는 않을 텐데 얼마나 힘들면 그럴까? 그리고 나도 언니 나이가 되면 그렇게 될까 봐 무서워진다. 내 미래 모습 같기도 해서 언니를 잘 이해해 주고, 위로해 주고 싶다. 어떻게 위로해야 언니가 나아질까?
나는 문득 예전에 읽었던 <나의 라임 오렌지 나무>가 생각났다.

<나의 라임 오렌지 나무>에서도 루이스와 글로리아 누나가 둘 다 20대에 삶을 포기했다. 나는 마음이 너무 아팠다. 루이스와 글로리아는 어릴 때부터 제제와 함께 많은 고통을 느꼈다. 제제처럼 맞지는 않았지만, 제제의 몸과 마음이 상처 나는 순간들을 봐왔다.
글로리아 누나는 제제가 식구들에게 맞는 것을 보면서 굉장히 슬펐을 것이다. 제제가 잔디라 누나와 또또까 형한테 맞아서 크게 다쳤을 때, 글로리아 누나는 "언젠가, 언젠가는……, 내가 널 데리고 이 집에서 멀리 떠날 거야. 우리는……." 하고 말할 정도로 슬퍼했다. 그런 슬픔이 너무 깊어져 삶을 포기했던 걸까.
루이스는 책에서 착한 아기 예수 같다고 나오지만, 나는 루이스가 나중에 커서 제제처럼 될 것 같다고 생각했다. 왜냐하면 어릴 때부터 제제가 엄청나게 맞고 고통받는 장면들을 보고 자랐기 때문이다. 아동학대를 당한 아이들이 커서 아이를 낳으면 똑같이 학대하는 경우가 많다고 들었다. 그래서 그런 환경에 계속 놓여있던 루이스도 악동이 될 가능성이 높다고 생각한다. 나쁜 아이가 된 루이스가 여러 장난들을 치게 되고, 결국 제제처럼 맞다가 삶을 포기하지 않았을까. 이것들은 내 추측일 뿐이다. 정말 그런 이유로 삶을 포기한 게 아니었으면 좋겠다.

그러면 주인공 제제는 어땠을까? 제제도 루이스나 글로리나 누나처럼 삶을 포기하고 싶었을까? 나는 그랬을 것 같다고 생각한다. 왜

냐하면 제제는 아무 이유 없이 자주 맞았기 때문이다. 이유가 있어도 제제는 그 이유를 몰랐다. 제제가 이유 없이 맞거나, 이유도 모른 채 맞는 장면들은 매번 나의 마음을 울렸다.
한번은 제제가 멋진 풍선을 만들고 싶어서 열심히 접고 있었다. 그때 잔디라 누나가 제제한테 밥 먹으라고 불렀는데 제제는 풍선을 접느라 내려가지 못했다. 그래서 잔디라 누나가 풍선을 찢었고, 화난 제제는 누나에게 욕을 했다. 그러자 누나는 아직 어린 제제를 서 있기 힘들 정도로 아주 심하게 때렸다. 또또까 형도 와서 같이 때렸다. 또 하루는 제제가 아빠의 기분을 풀어드리기 위해서 지금껏 들은 탱고 중 가장 아름다운 노래를 불렀는데, 하필 가사가 저속했다. 그걸 들은 아빠는 제제를 때렸고, 제제는 아빠에게 욕을 했다. 아빠는 화가 심하게 나서 허리띠로 제제를 때렸다. 다행히 두 장면 다 글로리아 누나가 와서 말렸다.

제제는 참 불쌍한 인생을 살았다. 그에 비하면 내 인생은 굉장히 양호한 편이다. 제제는 가족에게 욕하면 바로 식구들에게 죽을 듯이 맞지만, 나는 혼나긴 많이 혼나도 맞지는 않는다. 또 그는 가벼운 장난을 한 번이라도 치면 바로 맞지만, 나는 심한 장난을 쳐도 말로 혼나면 끝이다. 제제는 아직 어린데 그렇게 많이 맞아야 했다는 게 너무 부당한 것 같다.
계속 생각하다 보니 궁금한 게 생겼다. 왜 제제는 자꾸 맞아야 했을까? 다른 형, 누나들도 어릴 때 장난을 쳤었을 텐데 말이다. 아니면 스트레스 해소용으로 때리는 건가. 제제가 제일 어리고 만만해서 때리는 걸 수도 있다. 아마 이게 맞는 것 같다. 랄라 누나와 잔디라 누나, 그리고 또또까 형은 힘이 세니 쉽게 때릴 수 없었을 것이다. 글로리아 누나는 식구 중 아무도 건드리지 못하는 사람이고, 루이스는 착하고 귀여우니 때리지 않았던 것 같다.
그래도 뭔가 답답하다. 제제도 귀엽고, 몇몇 사람들에게는 착한 아이로 불린다. 제제가 심한 장난을 많이 치는 편도 아닌데 왜 식구들은 제제를 그렇게까지 싫어하는지 이해가 되지 않았다. 어린아이라면 충분히 할 수 있는 행동들 아닌가? 생각할수록 가족들이 정말 제제를 사랑하는 게 맞는지 의심이 간다. 제제의 상황이 너무 안타깝고 슬펐다.

"내 가슴속에서 슬픔이 자라나는 것을 막을 도리가 없었다. 이유도 모르는 채 모질게 얻어맞은 짐승처럼……."

나는 이 문장을 읽고 의문이 들었다. 왜 자신을 짐승과 같다고 생각하는 거지? 제제는 자기 자신을 사랑하지 않는 걸까? 나는 제제를 안아주고 싶었다. 나는 제제가 자기 자신을 비하하지 않고, 자신을 사랑해 주었으면 좋겠다. 먼저 자기가 자신을 사랑해야 다른 사람들도 나를 좋아하게 된다고 믿는다.

그럼 자기 자신을 사랑하려면 어떻게 해야 할까? 일단은 자신을 스스로 비하하지 않는 게 가장 중요하다고 생각한다. 제제처럼 자신을 짐승이라고 비하하는 행동은 자신의 자존감에 상처를 내는 것이다. 자존감이 낮아지면 무언가를 하고 싶다는 생각이 점점 사라지고, 하고 싶은 게 없으니 삶의 의욕도 없어지게 된다. 자신을 비하하지만 않아도 충분히 자신을 사랑할 수 있다.
그런데 만약 남이 자신을 비하한다면? 그때는 무시해버리면 된다. 한 귀로 듣고 한 귀로 흘리면 되는 거다. 그리고 그런 사람은 다시 만나지 않는 게 좋다. 남을 비하하는 사람은 그리 좋은 사람은 아닐 테니 말이다. 하지만 제제는 그 대상이 가족이어서 무시할 수조차 없었던 게 아닐까. 그래서 가까운 사람 특히 가족에게 받는 상처는 더 아프고 오래가는 것 같다.
그래도 나는 제제가 힘을 내서 자신을 사랑해 줬으면 좋겠다. 할 수만 있다면 제제에게 달려가 너는 정말 사랑스러운 아이라고 말해주고 싶다.

언젠가 제제가 그 모든 고통을 극복하고 자신을 사랑할 수 있게 된다면 그 과정에서 철이 들지 않을까? 자신을 사랑 하는 것이 사실 쉽지 않으니, 그런 과정에서 다들 성숙해지기 때문이다. 어쩌면 제제는 이미 철이 든 것 같기도 하다. 제제는 자신이 이제 철드는 나이라는 것을 알고 마음속의 작은 새를 놓아줘야겠다고 생각했다. 작은 새가 하느님의 품으로 돌아갈 수 있도록 해 주는 장면에서 제제는 꼭 철이 들어야 하는 거라고 생각하는 것처럼 보였다. 그렇지 않으면 작은 새를 그렇게 쉽게 놓아줄 리가 없기 때문이다.

그런데 철은 꼭 들어야만 하는 걸까? 나는 아니라고 생각한다. 철이 든다고 무조건 좋은 것은 아닐 것 같기 때문이다. 또 철이 들면 이제 더 이상 동심을 가질 수 없다. 제제도 철이 들기 위해 동심인 작은 새를 날려 주었듯이 말이다. 동심이 없으면 산타클로스, 동화, 만화 영화 같은 것들이 다 사라지게 되고 세상은 더 이상 따뜻하고 아름답지 않은 곳이 될 것이라 생각한다. 크리스마스 때 선물을 주는 사람이 산타클로스가 아닌 부모님이란 사실을 알게 되면서 점점 동심이 흔들리고, 산타클로스가 사람들의 상상으로 만들어진 존재라는 것까지 알게 되면 남아있던 동심마저 사라지는 느낌이 든다.

사실 요즘은 동심이 있는 아이들을 찾기가 힘들다. 인터넷에서 아이들에게 상상들이 모두 가짜라는 사실을 계속 알려주니 아이들의 동심이 더 빨리 사라지는 것 같다. 나 역시 그랬다. 내가 산타클로스나 판타지 세계가 진짜 있는 거라고 믿을 때, 인터넷에서 그런 것은 다 상상이라고 증거까지 보여 주면서 나를 설득했다. 그 후로 나의 동심은 사라지게 되었다. 내 상상력이 부족한 이유도 이것 때문인 것 같다. 어릴 때는 많은 것들을 상상하지만 현실을 알고 나니 상상을 하는 게 쉽지 않다. 상상을 해도 너무 유치한 것 같다는 생각만 든다. 어릴 때 상상을 많이 해야 살면서 힘이 들 때 희망을 품고 갈아갈 수 있는데 요즘 사람들은 너무 현실적이다.

내가 계속 동심을 가지고 살 수 있다면 어떨까? 일단 상상력을 계속 유지할 수 있을 것이다. 지금 상상한 것을 가지고 나중에 사업을 할 수 있을지도 모른다. 아니면 예술가가 돼서 크게 성공할 가능성도 있고, 아무도 생각하지 못한 참신한 아이디어로 사람들을 깜짝 놀라게 할 수도 있다.
하지만 사람들은 자신과 다른 행동이나 생각을 하면 이상하게 보니까 어쩌면 나를 철없는 사람으로 볼 수도 있다. 나이에 맞지 않는 생각을 한다면서 욕할 수도 있다. 사람들이 나를 피할 수도 있고, 내 주변에는 나를 이해해 주는 사람이 아무도 없을 수도 있다.
그래도 나는 평생 동심을 가질 수만 있다면 그렇게 하고 싶다. 사람들이 나를 이상하게 생각하든 말든 상관 안 하면 된다. 세상에는 많은 사람이 있는데 그중에서 나를 좋아하는 사람이 한 명쯤은 있을 것 아닌가. 그러니 나는 동심을 간직하고 살아가기 위해 노력할 것이다. 그리고 동심은 어린 마음과 상상력만 의미하는 게 아니라 세상을 따뜻하게 만들 수 있는 것이라고 생각한다. 제제처럼 아픈 아이를 안아 줄 수 있고 각박한 세상에서 웃음을 전할 수 있는 그런 마음 말이다. 어른들도 그런 마음을 조금씩 유지하고 산다면 이 세상이 지금보다는 훨씬 나아지지 않을까?

제제는 마음속의 작은 새를 보내고도 아직 동심이 살아있는 것 같았다. 그렇지 않으면 자신의 아빠를 사랑하기를 그만둬서 죽인다는 참신한 생각이 나올 수가 없기 때문이다. 하지만 나는 이 장면을 보고 '제제가 얼마나 상처를 크게 받았으면 그랬을까.'라는 생각이 들었다. 사실 아빠가 너무 심하기는 했다. 때리는 이유도 가르쳐 주지 않은 채 무자비하게 어린아이를 때렸다. 만약 지금이었다면 바로 아동학대로 교도소 신세를 지게 될 것이다. 그래도 가족 사이에서 사랑하기를 멈춘다는 것은 너무 가혹하다. 사랑을 멈춘 제제에게도 너무 슬픈 일이었을 것 같다. 사랑하지 않으면 결국 남남이 되는 것이다. 하지만 제제와 같은 상황이라면 엄청 사랑하는 사람이라도 내 마음속에서 죽일 것 같다.

그리고 나에게도 그런 마음이 들게 했던 사람이 있었다. 가족은 아니지만, 내가 많이 친해지고 싶었던 친구가 있었다. 그 친구는 작년 우리 반으로 전학을 왔다. 예쁘고 착해 보이는 여자아이였다. 나는 처음 그 친구를 보자마자 친해지고 싶다는 생각이 들어서 다가갔다. 그리고 그 뒤로 우리는 친해졌다. 그 친구도 나를 친한 친구로 여기는 것 같아서 기분이 좋았다. 그런데 어느 날부터 서서히 무언가 바뀌기 시작했다. 그 친구는 나보다 다른 친구들과 더 친하게 지냈다. 나는 뭔가 버림받은 기분이 들었다. 그래도 나는 포기하지 않았다. 계속 그 친구에게 다가갔고, 다시 친해지려 노력했다. 한 학기가 끝나고 방학식 때까지 나는 그 친구랑 같이 놀았다. 그런데 마지막으로 내가 갈 때 그 친구는 나를 쳐다보지도 않았다. 그리고 결국 그 친구에게서 다시는 나를 안 보고 싶다는 소리를 듣고 말았다. 나는 처음 그 소리를 들었을 땐 그냥 슬펐다. 그다음은 분노가 치밀었다.

'내가 너랑 친해지기 위해서 내 일 학년 생활을 너에게 쓴 거나 마찬가진데 너는 나한테 그렇게 말할 만큼 내가 싫었니? 내가 뭘 잘못했다고!'

그리고 나는 이제 그 친구와 연을 끊기로 마음먹었다. 내 마음속에서 그 친구를 죽이기로 결심했다. 제제는 아마 나보다 더했을 것이다. 그렇게 생각하니 제제가 왜 아빠를 죽이려는지 이해가 되는 것도 같다.

그러다가 실제로 스스로 자기 목숨을 끊는 사람들이 생각났다. 그리고 글로리아 누나와 루이스가 삶을 포기한 게 생각났다. 위로해주고 싶은 친한 언니도 다시 생각났다. 그래서 나는 언니를 위해서 뭘 할 수 있을까 다시 생각해 보기로 했다.
사실 내가 얼마나 큰 힘이 될지는 잘 모르겠다. 일단 언니가 왜 힘든 건지 물어보는 게 우선이다. 그리고 공감도 해주면서 언니의 기분을 알아줘야겠다. 공감은 진심으로 해줘야 한다. 만약 영혼 없이 들어주다가 들키면 더 큰 상처가 생길 수도 있기 때문이다. 또 진심이 빠진 그냥 위로를 해줄 바에는 아무 말도 안 하는 게 낫다고 생각한다. 이렇게 열심히 위로해 주다 보면 언니도 우울할 때가 조금 줄어들 것이다. 어쨌든 앞으로는 언니가 많이 우울하지 않았으면 좋겠다. 그러면 내가 우울해질 때 언니도 나를 우울 속에서 꺼내주지 않을까.

모두가 행복하고 희망차게 살았으면 좋겠다.

* * * * * * *

죽이고 싶은 아이

"지주연이 못된 애여서 그런 거겠죠?
미움받을 만한 애니까."

- 이꽃님 -

세상에는 많은 방송들이 있다. 그중에는 유익한 방송도 많지만, 거짓 방송이나 편파 방송도 있다. 또 방송 때문에 피해 보는 사람들도 적지 않다.

지주연도 그랬다. 지주연은 자기 친구인 박서은을 죽인 용의자로 몰린다. 그래서 주연은 심문을 받게 되는데, 그 와중에 한 방송국이 이야기의 사실과 거짓을 밝히지 않고 자극적으로 만든 방송을 내보낸다. 그 방송으로 인해 사람들은 가난한 서은은 피해자이고, 부유한 주연이 가해자라고 생각하게 된다. 하지만 결국 주연은 가해자가 아니었고, 재판에서 목격자라고 나온 학생이 가해자였다. 그리고 사실은 끝까지 밝혀지지 않았다.
나는 주연을 가해자로 판결하는 것에 그 방송도 가담했다고 생각한다. 그런 시선으로 사건을 보면 무조건 주연이 범인이라고 생각되기 때문이다. 방송을 하지 않았다면 주연은 풀려났을지도 모른다.

사람들은 눈에 보이는 것을 너무 쉽게 잘 믿어버리는 것 같다. 아무도 그 방송이 거짓 방송이라고 생각하지 못했고, 보이는 대로 믿어버렸다. 그리고 별생각 없이 자신이 느낀 것을 다 말했다. 그 말이 당사자에겐 얼마나 상처가 될지도 모르고 말이다. 그런 것들이 너무 화가 났다. 한 편으로는 죄책감도 들었다. 나도 내가 모르는 사이에 그런 말을 하지 않았을까? 주연을 욕한 사람을 내가 탓할 자격이 있을까? 그래도 누군가는 이 문제를 바로잡아야 한다고 생각한다.
자신이 사건을 쉽게 믿고, 그것으로 남에게 상처 주었다면 그 행동을 반성하고 깊게 뉘우치면 된다. 그리고 자신이 상처를 준 사람에게 진심어린 사과를 하고, 다시는 그런 행동을 하지 않도록 노력하면 된다. 그리고 주변에 그런 사람이 있다면 먼저 하지 말라고 말리고, 잘못한 걸 보면 충분히 반성하고, 사과하라고 일러주면 된다.

그렇지만 이것은 제3자의 이야기이지 막상 당사자는 다를 수도 있다. 만약 내가 주연처럼 거짓 방송으로 인해 피해를 본다면 어떨까?

일단 굉장히 억울하고, 화가 날 것 같다. 주변인들은 다 나를 안 좋게 볼 것이다. 또 나를 욕하는 사람이 많아질 수도 있다. 그럴수록 나는 자존감이 점점 낮아지면서 사람들을 피하게 될 것이다.
근데 거짓 방송을 하는 사람들은 무엇을 얻으려고 그러는 걸까? 그저 시청률만 높이면 된다는 생각뿐인 것 같다. 자신의 이익만 챙기는 이기적인 행동으로 한 사람의 인생을 망쳐도 되는 건가? 물론 세상은 한 명쯤 사라져도 잘 돌아갈 것이다. 하지만 한 사람, 한 사람이 모여서 세상이 만들어지는 것이니 그 한 명의 존재가 매우 중요하다고 생각한다. 그러니 거짓 방송 같은 자기 이익만 챙기는 짓은 더 이상 안했으면 좋겠다.

김 변호사는 자신의 이미지, 그러니까 자신의 이익을 채우기 위해서 사실이 아닌 증거를 사실로 꾸며내고, 주연을 가스라이팅 했다. 심지어 김 변호사는 이런 말까지 했다.

"내가 널 맡은 이상 넌 죄가 있어도 없어야 한다고."

이 문장을 읽고 가장 먼저 드는 생각이 있었다. 이게 맞는 걸까? 물론 주연은 죄가 없었지만 만약 죄가 있었다면 죗값을 치르는 게 맞다. 어리다고 봐주면 안 된다. 자신이 한 행동의 책임은 져야 한다. 어린아이도 알고 있는 사실인데 다 큰 어른이 그런 말을 한다는 게 황당하고 웃겼다. 아무리 요즘 세상이 자신의 이익만 챙기는 세상이라 해도 정말 별로였다. 그래서 나는 책을 보면서 '주연이 김 변호사를 버리지만 않았더라도 풀려날 가능성은 있었을 텐데…….' 하고 생각하다가도, 김 변호사를 버리기 잘했다는 생각이 들기도 했다. 김 변호사가 변호해 줘서 풀려났다 해도 나라면 살면서 계속 찝찝할 것 같기 때문이다.

그래도 나는 마지막에는 주연이 풀려나기를 바랐다. 주연이 어려서, 아직 미래가 창창해서 같은 이유가 아니었다. 주연이 그냥 행복했으면 좋겠다고 생각했다.
사람은 살면서 많은 감정들을 느낀다. 그중에는 행복, 슬픔, 분노 같은 게 있지만 나는 사람이 살면서 행복을 가장 많이 느낀다고 생각한다. 그 이유는 사람이 살 수 있는 원동력이 행복에서 나온다고 생각되기 때문이다. 그런데 주연은 살면서 행복이란 감정을 많이 못 느낀 것 같다. 주연은 어릴 때부터 부모의 장난감으로 살아야 했고, 학교에 다닐 때는 소중한 친구 서은이 있었으나 서은은 처음부터 주연을 친구로 생각하지 않았다. 주연의 인생을 바라보니 너무 슬펐다. 그래서 주연이 남은 생이라도 행복했으면 좋겠다. 어린 시절의 상처는 다 아물고, 그 자리에 행복한 기억이 가득했으면 좋겠다고 바라본다.

내가 행복했으면 좋겠다고 생각한 사람이 한 명 더 있다. 바로 서은의 엄마다.

“가난하면 애를 낳지 말지.”

사람들이 서은의 엄마에게 함부로 말했다. 사람들은 이 말을 들은 당사자가 얼마나 슬플지 상상도 못 할 것이다. 서은의 엄마는 이 말을 듣고 가슴이 찢어지는 것보다 더 큰 고통을 받았을 것이다. 서은을 잃고 난 뒤부터 계속 고통 속에서 살아왔을 것이다. 자신도 이렇게 가난하기를 원치 않았을 것이다. 또 서은의 엄마가 서은을 낳았을 때는 이렇게 가난하지 않았다. 원래는 아빠도 있는 세 가족이었지만 불운의 사고로 아빠를 잃고 세상에는 어린 서은과 엄마 둘이 남았다. 서은의 엄마는 서은을 먹여 살리기 위해 뼈 빠지게 일했지만, 서은도 아빠를 따라가 버렸다.

우리는 이런 마음을 이해하고 다독여 주지는 못할망정 남에게 상처가 되는 말을 쉽게 하면 안 된다. 하지만 상처 주지 않고 말하는 것은 생각만큼 쉽지 않다. 나도 이미 말하고 난 뒤에야 상처 줬다는 것을 알게 된 적이 많기 때문이다. 나도 방법을 잘 모르겠어서 친한 지인에게 물어봤다.
지인은 그 사람의 입장이 되어서 생각해 보라고 했다. 그러면 그 사람의 기분을 잘 느낄 수 있고, 위로도 해줄 수 있기 때문이라고 했다. 나는 이 방법이 좋다고 생각한다. 상대방의 처지에서 생각하면 그 삶의 기분을 조금이라도 이해할 수 있을 것이고, 이해할 수 있으면 상처 주는 말을 덜 하게 될 것이다.
서은의 엄마에게 "가난하면 애를 낳지 말지."라고 말한 장본인도 언젠가 깨달았으면 좋겠다. 자신이 쉽게 내뱉은 말 한마디가 다른 사람에게 얼마나 큰 상처를 주었는지 말이다. 서은의 엄마도 이제는 더 이상 이런 말들로 상처받지 않았으면 좋겠다.

이 책에 나온 주요 인물들은 다 한 번씩은 상처를 받은 사람들이다. 그렇기에 나의 마음을 울린 장면들도 많다. 그중 가장 슬펐던 장면이 있다.

"어차피 널 친구라고 생각한 적도 없으니까."

서은이 주연에게 한 말이다. 주연의 처지에서 보면 너무 슬픈 장면이었지만, 난 충분히 서은이 그렇게 생각할 만하다고 느꼈다. 주연이 서은을 물건처럼 다뤘기 때문이다. 한 시간이 넘게 서은을 추운 날 학원 끝날 때까지 기다리라고 했고, 서은의 엄마를 무시하는 모습도 보였다. 더 심한 일도 많았다. 그렇지만 모든 것들이 다 서로 간의 오해 때문에 생긴 행동이었다. 만약 둘이 서로 자신이 느낀 감정과 생각을 말했다면 다 풀렸을 문제이고, 서은이 죽는 사건도 일어나지 않았을 텐데 왜 둘은 서로에게 말하지 않았던 것일까?
서로 말하는 게 귀찮았던 것은 절대 아닌 것 같고, 아마 서로 말을 안 해도 괜찮다고 생각했던 것 같다. 왜 그렇게 생각했을까? 주연은 서은이 항상 자신을 이해해 주고 다 받아주어서 말하지 않아도 자기 마음을 알 거라고 생각했던 것 같다. 그런데 서은은 주연을 친구라 생각하지 않았으니 별로 신경 쓰지 않았던 게 아닐까? 정말 너무 안타깝다.

그런데 둘은 과연 친구였을까? 인터넷에서 친구의 개념을 찾아보면 가깝게 오래 사귄 사람이라고 나온다. 주연과 서은은 오래 사귄 친구니까, 그렇게 보면 친구가 맞긴 하다. 하지만 나는 친구는 감정을 나눌 수 있는 사람이자 같이 있을 때 좋은 사람이라고 생각한다. 주연과 서은은 서로 감정을 나누지 않았고, 같이 있을 때는 그리 좋아 보이지 않았으니 진정한 친구는 아닌 것 같다.
그러면 둘은 진정한 친구가 될 수 있을까? 내 생각엔 될 수 없을 것 같다. 감정을 서로 나누고 공유하는 것은 친구 관계에서 매우 중요한 것이다. 감정을 계속 공유하지 않으면 언젠가는 불화가 생기기 마련이고, 결국 감정을 나누지 않았던 주연과 서은처럼 되기 때문이다. 물론 둘은 같이 있을 때 친구 관계로 보이지 않았지만, 그래도 즐거웠던 순간도 있었을 거다. 하지만 감정을 나누지 못하면 다

쓸모없다고 생각한다. 나는 감정을 공유하는 것을 중요하게 생각한다. 심지어 나는 감정을 나누기 위해 친구를 사귄다고 생각할 때도 있다. 그러니 내 생각으로는 시간을 돌려서 감정을 나누지 않는 이상 나는 둘이 진정한 친구가 될 수 없을 것 같다.
그러니까 다시 말하면 서은과 주연은 진정한 친구가 아닌 서로가 필요해서 만나는 사이였다. 서은은 주연이 부르면 바로 추운 날에도 바로 나와야 했고, 그 대신 서은은 주연에게 많은 좋은 물건들을 받았다. 그런 관계는 서로에게, 적어도 누군가에게는 상처가 될 수도 있다.

나도 그런 경험이 있었다. 옛날 친했던 친구가 있었는데 그 친구랑 나는 꽤 친했다. 근데 시간이 조금씩 지나면서 그 친구는 다른 친구들과 더 많이 놀았다. 나는 그 친구의 관심을 끌면 다시 친해질 수 있다고 생각해서 계속 노력했다. 웃긴 말들과 행동도 해보고 그 밖의 여러 가지를 시도해 봤다. 그런데 돌아오는 것은 짧은 관심뿐이었다. 그 친구는 나에게서 약간의 재미를 얻고, 나는 그 친구에게서 짧은 관심을 받는 일종의 이용관계가 된 것이다. 계속 그러다 보니 기분이 좋지 않았다. 때로는 어릿광대가 된 느낌이었다. 내가 이렇게까지 해서 그 애의 관심을 받아야 할까? 나는 단지 다시 친해지고 싶을 뿐인데. 하지만 그런 생각을 하는 건 나뿐이었다. 결국 마지막까지 그 친구는 괜찮아 보였지만, 나는 상처받았다.

그래서 나는 좀 억울했지만, 주연과 서은은 서로 상처를 주고받았으니 억울하지는 않을 것이다. 주인공들과 공통점을 찾는 것은 좋지만 이런 일을 겪은 것에서 공통점을 찾으니 별로 기분이 좋지는 않다. 나에게도, 주연과 서은에게도 다시는 이런 일이 없길 바란다.

앞에서도 많은 의문이 들었지만 궁금한 게 하나 더 있다. 왜 제목이 <죽이고 싶은 아이>일까? 주연이 서은을 정말로 죽이고 싶어 한 적은 없었다. 마지막 장면도 진짜 죽이고 싶던 게 아니라 그냥 홧김에 한 연기 같은 거였다. 그러면 작가는 왜 제목을 <죽이고 싶은 아이>라 정했을까. 아니면 주연이 아닌 서은이 주연을 죽이고 싶었던 것일 수도 있다. 서은이 느끼기에는 주연이 지금까지 자신을 괴롭히고 있다고 느꼈으니 힘들어서 죽이고 싶다고 생각할 수 있으니까. 아니면 이것은 <나의 라임 오렌지 나무>에서 제제가 사랑하지 않아서 마음속에서 아빠를 죽이는 것과 같은 걸 수도 있다.

아마도 서은은 처음부터 주연을 친구라 생각하지 않았을지도 모른다. 주연이 서은을 부하처럼 부릴 때부터 주연을 마음속에서 계속 죽이고 싶었을까. 이것이 단지 내 추측이었으면 좋겠다. 작가가 그런 의도로 책 제목을 이렇게 지은 게 아니었으면 좋겠다. 내 추측이 맞는다면 너무 슬플 테니.

나는 앞으로 서로 이용하는 관계가 되지 않도록 친구를 잘 사귈 것이다. 다시는 상처 받고 싶지 않다. 주연도 결국에는 누명이 풀려 잘 살아갔으면 좋겠고, 하늘나라에 있는 서은도 이제는 행복하게 살았으면 좋겠다. 또 거짓 방송과 함부로 말하는 사람들도 줄어들었으면 한다.

그냥 아무도 슬프지 않았으면 좋겠다.

* * * *

순례 주택

“나는 내 인생의 순례자니까.
관광객이 아니라.”

-유은실 -

순례 씨는 순례자에서 따온 순례로 자신의 이름을 바꾸었다. ‘지구별을 여행하는 순례자’라는 마음으로 나머지 인생을 살고 싶어서. 하지만 순례자라는 게 꼭 지구를 여행하며 성지를 가는 것은 아니라 생각한다. 꼭 성지가 아닌 자신의 인생을 여행하는 것도 순례자가 아닐까.

“관광객은 요구하고, 순례자는 감사한다.”라는 말이 있다. 인생으로 본다면 나는 내 인생의 관광객일까, 아니면 순례자일까?

양나혜

난 내가 관광객이라고 생각한다. 난 항상 내 인생에게 무언가를 요구했다. '나도 이렇게 되고 싶다. 저렇게 살고 싶다.' 같은 말로 계속 내 인생에 부담을 줬다. 이런 말을 계속해도 달라지는 것은 없다는 걸 알면서도 계속 말했다. 난 왜 그랬을까. 아마 내가 이렇게라도 요구하지 않으면 난 이 세상에 쓸모없는 존재가 될 것 같은 불안감 때문에 그랬던 것 같다. 쓸모없는 존재가 되는 것은 무섭고, 생각만 해도 힘들다. 쓸모없는 사람이 되면 사람들은 나에게 눈길조차 주지 않을 테고, 그럼 나는 깊은 바닥까지 추락할 것이다. 하지만 추락했음에도 다시 일어서서 올라가는 사람들이 있다. 나도 그런 사람이 되고 싶다. 그 바닥을 발판 삼아 다시 올라가서 빛을 볼 수 있는 사람이 되고 싶다. 병에 걸리면 아프고 쓰라리지만, 나으면 면역력이 늘어나는 것처럼.
또 그런 사람이 된다면 나는 내 인생에게 전보다는 덜 요구하고 내 인생에 순례자가 되어 감사하며 살 수 있지 않을까. 그러니 나는 추락해도 다시 일어날 수 있는 사람이 되고 싶다. 어떻게 해야 그런 사람이 될 수 있을까?

추락해도 다시 일어날 수 있으려면 많은 용기와 자신에 대한 믿음이 필요하다. 나는 용기는 가질 수 있을 것 같은데, 자신에 대한 믿음을 가지기가 어려울 것 같다. 나는 나 자신을 믿지 못할 때가 종종 있기 때문이다.

내가 나를 믿으려면 나 자신에게 거짓말을 하면 안 된다. 그렇지만 나는 나에게 거짓말을 한 적이 꽤 있다. 보통 남에게 맞춰줘야 할 때 하는 것 같다. 남이 어떤 것을 좋아하면 나도 좋아한다고 나에게 거짓말하고, 남이 저런 것을 싫어한다면 나도 싫어한다고 나를 속이는 식으로 말이다. 나도 나에게 거짓말을 하고 싶지 않다. 내가 원하는 데로 살고 싶다. 그래서 이제부터 나는 한 번 내가 원하는 대로 살아보려 한다. 그러면 난 나에게 거짓말하지 않을 테고, 나를 믿을 수 있게 되니 추락해도 다시 일어설 수 있는 사람이 될 수 있지 않을까?
추락해도 다시 일어설 수 있는 사람은 분명 강한 사람일 것이다. 그리고 내 주변에는 그만큼 의지가 강한 어른들이 많이 있다. 그리고 그 사람들은 공통점이 있다. 모두 다 자신의 힘으로 살아보려고 애쓰는 사람이다. 순례 씨도 그렇게 말했다. 하지만 수림의 부모처럼 자신의 힘으로 살아본 적 없는 어른들도 있다. 이런 사람들은 진정한 어른이 아닌, 나이만 먹은 사람들 같다.

그럼 어떤 사람이 진정한 어른일까? 순례 씨가 말한 것도 진정한 어른과 어른을 나누는 기준이 된다.
그런데 내 생각에는 남을 내려다보지 않는 사람이 진정한 어른 같다. 진정한 어른이 아닌 수림의 부모는 항상 남을 내려다보고, 자신이 더 높은 곳에 있다고 생각했다. 또 학업을 항상 중요시 생각했다.

세상에는 학업 말고도 중요한 게 많은데 말이다. 진정한 어른인 내 주변 어른들과 순례 씨, 순례 주택에 사는 사람들은 다른 사람을 존중할 줄 알고, 위아래 없이 모두 같은 위치에 있다고 생각한다. 남이 나보다 더 못한다고 생각하면 수림의 부모가 당한 것처럼 나중에 다 업보로 돌아오기 마련이다. 수림의 엄마가 자신이 깔본 청소 아주머니가 알고 보니 자신보다 더 부자인 것을 알고 치욕을 당한 것처럼 말이다. 그러니 남이 자신보다 더 낮다고 생각하는 것은 그만두는 게 좋겠다.

또 책임을 질 수 있는 사람이 진정한 어른 같다. 그 책임이란 것은 무언가 잘못한 것에 책임을 지는 게 아닌, 자신보다 어린 사람들에게 모범이나 희생을 보여 줘야 하는 책임이다. 순례 씨와 순례 주택 사람들, 내 주변 어른들은 모두 모범과 희생을 보여 주었다. 인생이라는 험악한 세상에서 먼저 가서 어디로 가면 안전하고 단단한 길인지, 그렇지 않은 길인지 봐주었다.
그에 비해서 수림의 부모는 모범과 희생을 보여 주기는커녕 수림을 먼저 앞세워서 일들을 해치웠다. 딸의 도움이 없이는 이사도 못 했을 거고, 순례 주택에서의 삶에서도 수림이 없었다면 쉽게 해내지 못했을 것이다.

나는 절대 수림의 부모 같은 어른은 되지 않을 것이다. 진정한 어른이 되고 싶다. 그런데 아직은 내가 그렇게 될 수 있는지는 잘 모르겠다. '그냥 지금까지 말한 기준을 잘 지키며 살아가면 되나?' 싶지만 그것만 하면 진정한 어른이 되지 못할 것 같다. 진정한 어른이 되려면 어떻게 해야 할까?

내가 진정한 어른이라고 생각하는 우리 엄마, 아빠를 지켜보기로 했다. 두 사람이 어떻게 행동하는지 보면 진정한 어른이 되는 방법을 알아낼 수 있을 것이다. 우리 엄마, 아빠는 매일 성실하게 산다. 출근하기 전, 아침 일찍 일어나서 운동을 한다. 운동을 못할 때는 아플 때 빼고 없는 것 같다. 그리고 남을 깔보지 않고 항상 책임을 지며 자신의 힘으로 살아가려 애쓴다.
나도 진정한 어른이 되려면 기준들을 잘 지키면서 성실히 살아가야 할 것 같다. 나는 꼭 진정한 어른이 될 것이다. 살면서 기준들을 지키기 힘든 상황들도 있을 테지만, 나는 계속 꿋꿋이 노력하며 살 것이다.

수림은 진정한 어른이 자신밖에 없는 1군들(엄마, 아빠, 언니)을 좋아하지 않았다. 심지어 1군들도 수림을 그렇게 좋아하지 않았다. 수림을 뺀 나머지 가족들이 만든 단톡방이 있을 정도로 말이다. 하지만 1군들이 집도 없이 표류할 때, 순례 씨가 방을 주겠다고 하자 수림은 감사하다고 말했다. 수림은 1군들이 그렇게 됐을 때 속으로는 시원해했는데 왜 집을 준다고 했을 때 감사하다고 했는지 의문이 들었다. 그래도 가족이라고 정이 생긴 걸까?
수림은 엄마에게 고마운 점이 있다고 했다. 바로 목숨 걸고 자신을 낳아준 것이다. 이것 때문에 집을 빌려준다고 한 순례 씨에게 고마워했던 것이 아닐까? 이게 아니면 별로 설명할 길이 없다. 갑자기 없던 정이 들지는 않았을 테고, 다른 가족들에게는 별로 고마운 점이 없으니 말이다.
그러면 엄마만 구해주면 되지 뭣 하러 나머지 가족들도 구해준 것일까? 아마 엄마가 나머지 가족들을 좋아해서 그런 것 같다. 나머지 가족들이 없으면 엄마는 삶의 의욕을 잃을 수도 있고, 서로서로 너무 사랑하니 절대 떼어놓을 수 없다는 것을 수림도 알기에 그런 것 같다.

만약 내가 그 상황에 처했다면 어땠을까? 나라면 순례 씨가 집을 준다고 했을 때 주지 말라며 손사래를 칠 것 같다. '나를 좋아했던 것도 아니고, 집에서는 구박만 하는데 굳이 내가 뭣 하러 구해주냐.'라는 생각이 들기 때문이다. 또 나는 뭔가 가족들에게 할아버지가 얼마나 힘들게 살았는지 알려주고 싶어서 달라고 안 할 것 같다. 하지만 집을 잃고 며칠 후에는 마음이 약해지기도 하고, 며칠이면 충분히 반성할 것 같으니 다시 순례 씨에게 집을 빌려 달라고 할 것 같지만 말이다. 그리고 평생을 할아버지 품에서 자란 부모들에게 세상이 얼마나 살기 힘든지를 알려주고 싶을 것 같다.

철부지를 데리고 사는 것은 쉽지 않다. 만약 그 철부지가 부모라면 더 힘들 것이다. 아이라면 가르쳐 주고 통제할 수 있지만, 부모가 철부지라면 통제하는 것이 쉽지 않기 때문이다. 수림의 부모는 철부지 부모이다. 철부지 엄마는 결국 사고를 쳤다. 뉴스에 나온 엄마가 이렇게 말했다.

"솔직히 말해서, 빌라촌 애들이 관리가 잘 안되는 건 사실이잖아요. 부모 입장에서 솔직히 말해서, 빌라촌 애들과 어울리는 게 걱정됩니다."

온라인에서는 엄마를 욕하는 사람들이 생겼고, 아파트에서는 사과하라고 대자보가 붙었으며, 결국 엄마는 '거북 원더 그랜디움 카페 운영진'을 그만두게 되었다. 하지만 반성하지 않고, 다른 사람들이 자신을 쫓아내려고 꼬투리를 잡은 거라고 했다. 이건 다 엄마가 자기 생각을 솔직히 말해서 생긴 일들이다.

그럼, 여기서 또 의문이 드는 게 있다. 엄마는 왜 항상 솔직하게 말할까?
솔직하게 말하는 것 자체가 나쁜 것은 아니다. 솔직하게 말하면 사람들에게 신뢰를 얻을 수 있고, 진솔하게 대화해서 공감대를 형성할 수도 있다. 하지만 분명히 단점도 있다. 솔직하게 말하는 사람들은 자기 생각을 다 드러내서 남에게 속기 쉽다. 또 숨김없이 말하기 때문에 감정적이거나 덜 성숙하게 보일 수도 있다. 때로는 상황에 따라서 거짓말을 해야 할 때도 많은데, 성향 때문에 그러지 못하니 융통성이 없는 사람으로 여겨진다.
수림의 엄마가 어리석고 똑똑하지 않아서 솔직하게 말하는 것이 아니라 타고난 성향 때문에 그런 것 아닐까? 뭔가 거짓말을 해야 하는 상황이어도 거짓말을 하는 것이 불편하고, 자기 감정을 숨기는 것이 어려운 것이다. 이렇게 보면 수림의 엄마는 철부지보다는 감정적인 사람이 더 어울리는 것 같다. 전에는 항상 엄마가 어린아이보다 못하다고 생각했지만, 감정적인 사람이라고 생각해 보니 그동안 그렇게 생각한 게 조금은 미안해지는 것 같다. 앞으로는 '철부지 엄마' 대신 '감정적인 엄마'라고 생각해야겠다.

여기서 나는 또 의문이 생겼다. 엄마가 감정적인 사람이라면, 왜 오미림과 아빠가 집안일을 전혀 안 하는 것을 보고도 불평하거나 화내지 않았을까?

"엄마는 왕이자 시녀 같았다. 아빠와 오미림은 왕의 지시에 따르는 동시에, 시녀에게 별걸 다 시켜 먹는 왕자 공주 같았고."

나는 이 말이 정말 맞는 말 같다. 심지어 오미림과 아빠는 자신의 방도 치우지 않고, 빨래도 세탁물 통에 안 넣는다. 만약 우리 집에서 이랬다면 벌써 집에서 쫓겨나고 남았을 것이다. 아무리 집안일이 오수림이 공부하는 데 방해된다 해도 하루에 몇 분만 투자하면 되는데 말이다. 아파트에서는 엄마가 전업주부이고 나머지 가족들은 다 일하니까 혼자 다 해도 조금은 괜찮다. 하지만 순례 주택에 와서는 엄마가 새벽에 김밥을 마는 일을 했는데도 엄마 혼자 집안일을 했다.

엄마는 사실 가족들이 집안일에 손도 까딱하지 않는 것에 불평할 수 있는데 왜 안 하는지 계속 궁금했다. 엄마의 마음이 여려서 가족들이 집안일을 하는 모습만 봐도 기분이 안 좋은 걸까? 아니면 그러려니 하는 걸까? 내 생각엔 그냥 그러려니 하는 것 같다. 뭔가 다른 사람들이 밖에 나가서 일하는 것을 당연히 해야 하는 일이라고 생각한다면, 엄마는 집에서 집안일을 하는 게 당연하다고 생각한 것 같다. 하지만 계속 그렇게 살면 나가서 일하는 것보다 더 힘들 것 같다. 좋은 말로 하면 집안일이지만, 사실은 다른 가족들 뒷바라지하는 게 아닌가? 나는 내가 평생 나 혼자서 가족들 뒷바라지만 하고 살아야 한다면 도망칠 것이다. 또 엄청나게 억울할 것 같다. 엄마도 멋진 직업을 가지기 위해서 명문대를 나온 것일 텐데 가족들 뒷바라지만 하고 있는 게 참 안타까웠다.

그런데 마지막 장면에서는 엄마가 드디어 자신 혼자서 집안일 한다는 것에 불평하는 장면이 나온다. 엄마가 계속 억울함을 참지 않고 표현해서 다행이다.

근데 만약 수림의 엄마 같은 사람이 나의 부모였다면 어떨까? 일단 굉장히 편할 것 같다. 내가 치우지 않아도 집과 내 방이 항상 깨끗하게 되어있고, 내가 움직이지 않아도 알아서 다 해주니 얼마나 편하고 좋을까? 그렇지만 계속 이런다면 양심에 찔릴 것 같다. 엄마는 항상 바쁘게 움직이며 치우고 있는데 나는 가만히 손도 까딱하지 않고 있으니 말이다. 그리고 나중에 독립해서 집안일을 내가 다 해야 할 때 집안일을 할 줄 몰라 되게 난감할 것 같다. 원래 어릴 때부터 조금씩 배워야 쉽고 익숙해지는데, 다 커서 한꺼번에 배우려면 오히려 더 어려울 것이다. 또 커서는 일을 해야 해서 엄청나게 바쁠 수도 있는데, 그때 가서 집안일까지 배우려면 얼마나 힘들고 지치겠는가.
하지만 나는 이런 걱정을 할 필요가 없다. 다행히도 우리 집에서는 집안일을 한 사람이 다 몰아서 하지 않기 때문이다. 밥상 차리고 치우는 것은 기본이고, 각자 방은 알아서 치우기, 쓰레기통 비우기, 빨래 개기 같은 것은 가족 모두가 알아서 한다. 그리고 우리 가족은 매주 주말마다 대청소를 하는데, 그때는 언니와 내가 바쁠 때 빼고는 모두 다 같이 청소한다. 그러니 나는 나중에 독립했을 때 집안일을 어떻게 하는지 걱정할 필요가 없다. 이런 점에서는 우리 엄마, 아빠가 참 현명하다는 생각이 든다.

"관광객은 요구하고, 순례자는 감사한다."

다시 생각해도 정말 좋은 말 같다. 나도 수림처럼 내 인생에서 순례자는 아니더라도 관광객은 되고 싶지 않다. 난 더 이상 내 인생에 많은 것을 요구하지 않을 것이다. 또 진정한 어른이 되어서 내 나머지 인생을 멋지게 살 것이다. 나는 내 인생에 감사한다.

● 작가 후기 ●

나는 독서 모임을 처음 시작할 때, 별 감정이 없었다. '그냥 책을 읽어야 하니까.' 하며 약간의 의무감으로 참여했다. 하지만 계속 책을 읽고, 같이 생각을 나누고, 글로 내 느낌을 쓰다 보니 점점 재미있어지기 시작했다. 글쓰기 실력도 많이 늘었다. 어휘력도 조금은 더 좋아졌다. 그리고 더 잘하고 싶다는 욕심도 생겼다. 지금은 처음 시작했을 때와 비교도 되지 않을 만큼 실력이 늘었다. 그러나 아직도 책을 쓴 작가들과는 비교도 되지 않는다. 그래서 그런지 책을 쓴 사람들은 유명하든 아니든 모두 대단해 보였다.
그런데 나에게도 작가가 될 기회가 찾아왔다. 처음 책을 만든다는 소식을 들었을 때는 상상이 되지 않았다. '그냥 지금까지 쓴 것들 다 묶어서 주시려나 보다.'라고만 생각했지 진짜로 다른 사람들이 읽을 수 있는 책이라고는 생각도 못 했다.

나는 사실 글쓰기가 어렵다는 것은 알고 있었지만 정말 한 줄도 못 쓸 정도로 힘든 것일 줄은 몰랐다. 그래서 첫 원고 쓸 때 그냥 포기할까 하는 생각도 참 많이 했다. 그럼에도 여기까지 오게 해준 줄리 선생님과 고은영 선생님에게 정말 감사하다. 줄리 선생님은 힘든 와중에도 같이 글 쓴 친구들을 위해서 줌 수업도 계속 도와주시고, 편하게 물어봐도 된다고 얘기해 주셔서 정말 큰 힘이 됐다. 줄리 선생님이 계속 도와주지 않았더라면 난 지금 작가 후기를 쓰고 있지 않았을 것이다. 고은영 선생님은 내가 엉망으로 쓴 글을 계속 수정하고, 피드백을 자세하게 남겨 주셨다. 그래서 고칠 때도 방향이 잡혀서 많이 힘들지 않았다. 또 첫 책을 내는 나의 옆에서 계속 응원해 주고, 도와준 우리 가족들에게 정말 감사하다.

내가 쓴 글의 주제는 선택하지 않은 시련에 고통받는 주인공들의 슬픔과 행복이다. 이 주제는 그냥 내가 고른 책들의 공통점이 주제와 같아서 정한 건데 지금 생각해 보니 되게 주제를 잘 정한 것 같다. <플랜더스의 개>의 넬로는 가난을, <나의 라임오렌지 나무>의 제제는 사랑을 주지 않는 가정을, <죽이고 싶은 아이>의 주연은 부모와 진정하지 못한 친구를, 마지막 <순례 주택>의 수림은 가족을 자신이 택하지 않았다. 나는 책의 주인공들보다 더 나은 생활을 하고 있는데도 항상 불평한다. 내게 주어진 것들에 감사해야 한다는 것을 알면서도 계속 그런다.

이제는 정말 불평은 적당히 하고, 그 대신 책들의 주인공들이 못 해본 새로운 도전을 해볼까 한다. 주인공들이 못한 것들을 내가 대신 도전해 줄 것이다. 나는 항상 새로운 도전을 하고 싶었다. 책을 출간하는 것도 유명한 작가들만이 할 수 있는 도전이라고 생각했다. 그러나 이 책을 만들면서 내 생각은 바뀌었다. 나는 이 도전을 발판 삼아 더 큰 도전을 할 것이다.

3

완벽한 위로는 아닐지라도

your own
2미터
그리고 48시간

문서원

어릴 땐 뭐가 그리 다 좋았는지 항상 웃는 모습이었고, 성격도 발랄했다. 지금도 여전히 밝은 모습이 있지만 내면엔 항상 나만의 우울함을 가지고 있는 성격이 되었다. 그런 나에겐 누군가의 위로 한 마디가 정말 소중했다. 그래서 위로받고 싶을 때 주로 책을 읽었다. 이젠 나의 이 작은 위로가 누군가에겐 큰 따스함으로 전해지기를 바라는 마음으로 글을 쓰고 있다.

헬렌 켈러

피터 팬

안네의 일기

2미터 그리고 48시간

* * * *

헬렌 켈러

"선생님, 꼭 대학에 들어가 열심히 공부해서
세계의 모든 장애인을 위해 일하고 싶어요."

- 권태선 -

우리는 살아가다 가끔 도움이 필요할 때가 있다. 누구나 도움을 받으며 살아왔고 도움이 있었기에 성장할 수 있었다. 도움의 의미는 '인간의 불완전함을 수용하여 삶을 조금이라도 긍정적인 방향으로 인도하는 노력의 일부'라고 한다.

헬렌에게도 소중한 도움의 손길이 있었다. 헬렌의 선생님인 설리번은 그녀가 공부할 수 있도록 도움을 주었고, 그 도움을 받아 성장한 헬렌은 더 나아가 자신이 꿈꾸던 대로 모든 장애인을 위해 일할 수 있게 되었다.
도움의 힘은 정말 대단한 것 같다. 아무리 작고 사소한 도움이라도 도움을 받는 사람에겐 커다란 손길이 될 수도 있으니 말이다.

“선생님, 꼭 대학에 들어가 열심히 공부해서 세계의 모든 장애인을 위해 일하고 싶어요.”

헬렌이 열 살에 농아 학교에 들어가 발성법을 배우고 설리번에게 더듬더듬 말한 첫마디였다. 그리고 10년 뒤, 설리번과 헬렌의 열정과 끈기가 마침내 빛을 보게 되었다.

헬렌은 암흑을 깨고 깊은 바닷속을 헤엄쳐 나와 결국 육지로 떠올랐다. 헬렌은 하버드 대학에 입학하게 되었다.

“나는 이제 농아가 아닙니다.”

대학에 입학한 헬렌의 말에는 지금까지 열심히 공부한 점자, 발성, 지식 등이 차곡차곡 담겨있었다.

헬렌은 하버드에 입학할 때 어떤 심정이었을까? 과연 자신이 하버드에 입학할 수 있을 거라고 생각했을까? 또한 헬렌의 주변 사람들은 그녀가 하버드에 갈 수 있을 거라고 생각했을까? 아마 생각지도 못했을 것이다. 헬렌은 두렵고 힘든 고통 속에서도 자기 자신을 믿었다. 끝까지 포기하지 않고 하버드에 입학했고 이로써 전 세계의 장애인들에게 희망이 되었다. 헬렌은 자신의 가장 힘들었던 시기에 오히려 사회에 헌신하였다.

헬렌처럼 장애를 가지고 있는 사람이 대학에 입학하거나 사회에 나가 일하게 되면, 대부분 사람은 어렵고 힘들겠다고 말한다. 심지어 장애인이라는 이유만으로 차별받는 일들도 많이 있다. 물론 헬렌에게도 많은 고난이 따랐을 것이다. 헬렌의 주변 사람들도 헬렌을 장애인 전용 시설로 보내라고 권했다. 그러나 헬렌의 어머니는 완강하게 거부했다. 장애인 시설에 보낸다면 딸을 비리는 것과 마찬가지라고 여겼기 때문이다. 나는 헬렌의 강한 의지가 엄마를 닮았다고 생각했다. 헬렌의 회고록인 <내가 살아온 이야기>에 나오는 인상적인 문장이 하나 있다.

“저는 엄마의 따뜻한 사랑을 제외한 모든 것을 잊어버렸습니다.”

나는 이 문장에서 엄마의 사랑은 그 무엇보다 강하다고 다시 한번 느끼게 되었다. 그런 엄마의 사랑이 있었기에 헬렌이 포기하지 않고 더 열심히 살려고 한 것일지도 모르겠다.

그렇게 강인하고 꿋꿋했던 헬렌에게도 분명 힘든 순간들이 있었을 것이다. 자신이 정말 목표에 닿을 수 있을지, 자신이 세계의 모든 장애인을 위해 일할 수 있을지, 공부하면서도 불안하고 힘들었을 것 같다.

인생은 항상 변수의 연속이고 불확실한 것들이 생기기 때문에 미래에 대한 불안은 언제나 생기기 마련이다. 하지만 헬렌은 강한 정신력으로 두려움과 불안을 깨고 성공적으로 자신의 꿈을 이룰 수 있게 되었다. 나는 헬렌 켈러의 그런 용기가 정말 대단하고 멋있다고 생각한다.

헬렌 켈러가 남긴 명언 중 '인생은 결코 안전하지 않다.'라는 말이 있는데, 인생을 과감하게 살아야 한다는 의미가 담겨있다. 과감하게 도전하고, 실패해도 실패를 발판 삼아 다시 일어서서 다시 나아가면 된다. 헬렌에겐 앞도 보이지 않고 소리도 들리지 않았기 때문에 오히려 더욱 과감하게 살려고 했던 것 같다.

실패가 두렵다고 아무것도 하지 않고 있다면 성공과는 점점 멀어지게 된다. 아무리 장애를 가지고 있는 사람이라도 자신의 방식대로 노력하면 성공할 수 있고 빛을 볼 수 있다고 생각한다. 헬렌을 보면서 나도 내가 앞으로 좀 더 과감해질 필요가 있다고 느꼈다.

나도 미래에 대한 걱정 때문에 늘 불안하다. 하지만 이런 불안은 내가 더 잘하고 싶어 하는 열정 때문에 생기는 감정이다. 그러니 불안하더라도 더 열정적으로 미래에 대해 준비하고 항상 마음을 가볍게 하는 것이 중요한 것 같다. 때로는 '내가 잘하고 있는 게 맞나?' 싶을 때도 많지만 그래도 일단 나아가 보자. 그렇게 조금씩 채워나가다 보면 내 불안은 어느새 사라지고, 나의 발자취 하나하나가 모여 내 인생은 소중한 조각들로 채워질 거라 믿는다.

여러 어려움 속에서도 헬렌은 뜻을 굽히지 않고 자신을 믿고 목표를 향해 달려갔다. 그리고 결국 헬렌은 자신의 바람대로 전 세계 장애인들을 위해 강연도 하면서 많은 사람에게 커다란 희망을 전하였다.

사람들은 가끔 나를 위한다는 핑계로 오히려 나에게 독이 되는 조언이나 충고를 한다. 하지만 조언이랍시고 나에게 주는 상처들까진 수용할 필요는 없다. 나도 내 미래를 위해 들어야 할 말과 듣지 말아야 할 말을 구분하면서 헬렌처럼 소중한 신념을 지키고 싶다.
물론 내가 항상 옳을 수도 없고 내가 하는 일이 다 성공한다는 보장도 없다. 하지만 나는 내가 제일 잘 알고 내가 제일 잘 다룰 수 있다. 남들이 정해놓은 길을 굳이 따라갈 필요는 없다고 생각한다. 가끔은 무너지고 실패하고 포기하고 싶은 마음이 들 때도 있겠지만 그러면 또 어떤가. 나에겐 아직 다시 벌떡 일어날 자신이 있는데. 우리는 그런 과정에서 또 한 번 성장한다. 하지만 제일 중요한 건 나를 믿어야 한다는 것이다. 내가 나를 포기하고 믿지 않는다면 더 이상 '나'는 존재하지 않는다.
또 내가 나를 먼저 믿지 않는다면 그 누구도 나를 믿지 않게 될지도 모른다. 헬렌처럼 힘든 고통이 찾아와도 자신을 믿고 나아갈 용기가 있다면 빛이 찾아올 날도 반드시 있을 거다.

그러다 문득 생각해 봤다. 만약 내가 헬렌처럼 앞을 볼 수 없게 된다면? 앞을 볼 수 있는 날이 사흘밖에 남지 않았다면?
상상하기도 싫지만 정말 그렇게 된다면 나에게 남은 사흘이 그 순간 가장 소중할 것 같다. 잠자는 시간을 줄여서라도 내가 보고 싶은 것들을 다 볼 것이다.

첫째 날 아침엔 평소와 같이 포근한 침대에서 일어나서 평소와 같이 함께 밥을 먹으며 가족들의 얼굴을 자세히 볼 것이다. 앞을 못 보게 된다면 우리 가족들의 얼굴이 가장 그리울 것 같다. 그리고 많이 웃게 해주고 싶다. 모두가 웃고 있는 얼굴을 기억하고 싶기 때문이다. 그렇게 종일 내게 소중한 사람들의 얼굴을 한 명 한 명 내 눈에 담으려고 노력할 것이다.

둘째 날에는 소중한 친구들을 모두 만나서 평소처럼 수다도 떨고 이것저것 하며 깊은 대화를 나눌 것이다. 그다음엔 내가 가장 가고 싶은 장소를 세 군데만 갈 것이다. 그중 첫 번째는 가족들과의 추억이 가득 담긴 제주도에 있는 우리 집에 갈 것이고 두 번째도 가족들과 자주 가던 해수욕장에 갈 것이다. 마지막으로는 밤하늘의 별이 가장 잘 보이는 곳에 앉아 하루의 끝을 마무리하고 싶다.

다음날은 내가 앞을 볼 수 있는 마지막 날이다. 내가 눈이 보이지 않게 된다면 점자책을 읽어야 하니, 점자책 읽는 방법을 미리 공부하고 내가 자주 가는 곳의 구조를 외워놓을 것이다. 그리고 가장 마지막으로 나의 얼굴을 보고 싶다.

계속 생각을 하다보니 사흘이라는 시간이 너무너무 부족할 만큼 나의 시력은 너무 소중하다는 것을 다시 한 번 깨달았다. 그리고 사람이든, 동물이든, 물건이든, 장소든 사흘 동안 내 눈에 다 못 담을 정도로 소중한 것들이 너무 많다는 것도 알게 되었다. 앞으로 살아가며 천천히 담아 두어야겠다.
또 시력이 아니더라도 내게 주어진 모든 것들의 감사하며 내 방식대로 내 인생을 채워나가도록 해야겠다고 생각했다. 헬렌 켈러가 비록 보이지도 않고 들리지도 않았지만, 자신의 방식대로 공부하고 노력해서 목표를 이뤄낸 것처럼 말이다.

그리고 나도 헬렌처럼 누군가에게 도움이 되는 사람이 되고 싶다. 헬렌은 설리번에게 도움을 받는 것에서도 행복을 느꼈지만, 직접 세계의 모든 장애인을 위해 일하며 자신이 도움을 줄 때 더 많은 행복을 느꼈던 것 같다. 이 두 행복에는 어떤 차이가 있을까?

도움을 받는 사람은 '직접적 행복'을 느끼게 되고, 도움을 주는 사람은 도움을 받은 사람이 행복해하는 것을 보면서 '간접적 행복'을 느끼게 된다.
설리번은 헬렌에게 도움을 주고 그녀가 나날이 성장하는 것을 보며 간접적인 행복을 느꼈을 것이다. 헬렌은 설리번의 도움으로 성장하면서 직접적인 행복을 느끼고, 자신이 성장해서 장애인을 위해 일하면서는 간접적인 행복을 느끼지 않았을까?

나도 헬렌처럼 내가 직접적인 도움을 받아보거나 설리번처럼 다른 대상에게 도움을 주어본 적이 있다. 나에겐 도움을 받을 때의 행복보다 줄 때의 행복이 더 큰 것 같다. 나의 도움으로 다른 사람이 행복해하는 모습을 보며 더 큰 행복을 느꼈기 때문이다.
그래서 헬렌도 세계의 모든 장애인을 위해 일하고 싶어 했던 게 아닐까? 오히려 헬렌은 자신이 설리번에게 받은 도움을 더 크게 돌려주려 한 건지도 모르겠다.

“헬렌, 사랑이란 태양이 나타나기 전에 하늘에 떠 있는 구름과 같은 것이란다. 구름은 비를 내리게 하는 것이지. 너도 비를 맞아 보았지? 햇볕을 쬐고 난 뒤 비가 내리면 땅 위의 나무들과 꽃, 풀들은 너무나 기뻐한단다. 비를 맞아야 쑥쑥 자라거든. 이제 사랑이 무엇인지 알 수 있겠지?“

설리번이 사랑을 이해하지 못한 헬렌에게 했던 말이다. 나는 설리번이 헬렌을 무척이나 아끼고 사랑했다는 것을 느낄 수 있었다.

인생에선 쉽지 않은 일들이 많이 찾아오지만 모든 일에 다 정답이 있는 건 아니다. 정답을 쫓기보단 헬렌처럼 자신만의 정답을 만들어 나갈 수 있으면 좋겠다.

이 순간, 힘든 시기를 겪고 있는 모두가 행복해졌으면 좋겠다. 행복은 눈에 보이지도 않고 손에 잡히지도 않지만 우리 삶에 꼭 필요한 것이다. 또 나의 행복은 찾는 게 아니라 스스로 만들어 가는 거라고 생각한다. 그렇게 행복을 만들어서 여러 사람에게 전파하는 것이 나의 꿈이다.

* * *

피터 팬

"너에게는 아직 꿈을 이루기 위한
충분한 시간이 있어."

- 제임스 매튜 배리 -

우리는 모두 꿈을 가지고 살아간다. 하지만 꿈이 없는 사람들도 있다. 그들에겐 꿈을 가지는 것조차도 꿈이 될 수 있다. 우리가 품고 살아가는 꿈은 실현하고 싶은 희망이나 이상을 의미한다. 확률이 다소 낮지만 그래도 우리는 항상 꿈을 이루려 노력한다. 그 이유는 무엇일까?

꿈을 실현할 수 있다는 가능성을 증명하고 그 과정에서 나 자신을 더 성장시키기 때문이다. 모든 꿈이 실현되진 않겠지만 그럼에도 계속 도전해 나가는 것이 꿈을 가지고 살아가는 사람들의 힘이다. 그렇지만 가끔 꿈을 향해 나아가다 넘어질 때가 있다. 그럴 때 우린 보통 행복했던 시절이나 순간을 떠올리곤 한다. 행복했던 추억은 다시 꿈을 향해 나아갈 용기를 주기 때문이다. 추억이나 행복했던 시절은 모두 과거이다. 가끔은 행복하고 걱정 없이 마냥 천진난만한 어린 시절에 멈춰 머물러 있을 수 있다면 좋겠다고 생각한다.

피터 팬은 어른이 되지 못하고 영원히 소년으로 살아가게 되었다. 피터 팬에겐 평생 소년으로 살아가는 것이 행복했을까? 우리에게 용기와 위로를 주는 동화 속 주인공에게도 어쩌면 위로가 필요하지 않을까? 나는 피터 팬을 읽다 보니 그들에게 묻고 싶은 것도 듣고 싶은 것도 많아졌다.

<피터 팬에게>

피터, 안녕? 잘 지내니? 나도 너처럼 어린아이로 계속 살고 싶은데, 너는 어때? 영원히 소년으로 남는 게 좋지 않니?

네가 어릴 때 미아가 되었다고 들었어. 정말 슬펐겠다. 하지만 너무 나쁜 기억으로 담아두고 있진 않았으면 좋겠어. 우린 언젠가 모두 혼자가 되거든. 그리고 또 이미 혼자이기도 하지. '어차피 인생은 혼자다.'라는 말도 있잖아. 너는 그저 조금 더 빨리 혼자가 된 것뿐이야. 그래도 네 곁엔 네버랜드의 요정들이 있고, 지금은 영원히 소년으로 남아서 어린아이들에게 꿈과 희망을 심어주고 좋은 추억으로 남게 해주는 멋진 일까지 하고 있잖아.

어렸을 적엔 침대에 누워 잠들기 전에 네가 우리 집 창문으로 들어와서 나를 네버랜드로 데려가는 상상을 하곤 했어. 나도 웬디와 웬디의 형제들처럼 네버랜드에서 무한한 경험을 하고 싶었거든. 물론 후크 선장과 대결을 벌이며 많은 위험을 겪는 것은 무섭고 두려웠겠지만, 그 또한 도전이라 생각하고 너와 함께 싸웠을 것 같아.

웬디는 부모님이 그리워 집에 돌아갔잖아. 근데 너는 왜 네버랜드를 떠나지 않고 영영 네버랜드에 남게 된 거니? 너도 나처럼 평생 영원한 어린아이로 살아가고 싶었던 거야? 아니면 갈 곳이 없었던 거야?

"오래 전에 나는 너희처럼 엄마가 늘 창문을 열어 두고 나를 기다릴 거라고 생각했어. 그래서 한 달, 두 달, 석 달……, 그렇게 아주 오랫동안 집 밖에서 놀다가 돌아갔어. 그런데 창문에 창살이 쳐 있지 뭐야. 엄마가 나를 완전히 잊어버렸던 거지. 게다가 내 침대에는 다른 꼬마 아이가 자고 있었어."

네가 웬디와 아이들에게 한 번도 말한 적 없는 이야기를 아주 솔직하게 털어놓았잖아. 네버랜드에서 살다가 문득 엄마가 그리워서 집으로 돌아갔다가 이미 동생이 태어나고 더 이상 너를 그리워하고 있지 않는다고 느끼고 다시 네버랜드로 돌아온 거랬지. 그 말을 듣고 왜 네가 네버랜드를 떠나지 않기로 했는지 조금 알 것 같았어. 나였어도 그런 선택을 했을 것 같아. 그리고 그때 너의 모습은 정말 슬퍼 보였어.

만약 그것 때문이라면 마음이 정말 힘들었겠다. 가끔은 막 곁에 내 편이 아무도 없는 것 같고 혼자라고 느껴질 때가 있지? 나도 그럴 때 많이 있어. 사실 인생은 혼자라고 하지만, 그래도 누군가가 곁에 있어 주고 함께해주길 바라잖아. 나도 그렇게 생각해. 네 곁에 항상 같이 있진 않더라도 널 진심으로 생각해 주는 사람이 반드시 있을 거야!

네가 행복한 추억을 심어준 아이들이나 네버랜드에서 같이 있던 요정들과 팅커 벨도 다 너를 생각할 거야. 나는 힘들 때 보통 행복했던 시절을 떠올리곤 하는데, 아이들의 행복했던 기억 속엔 피터 팬 네가 있을지도 몰라.

“엄마 아빠가 나에 대해 얘기하는 걸 들었거든. 내가 어른이 되면 무엇이 될지 얘기하고 계시더라고. 난 어른이 되기 싫어. 난 영원히 어린아이로 남아 재미있게 살고 싶어. 그래서 컨싱턴 공원으로 도망쳤고, 오랫동안 요정들과 함께 살았어."

나는 너에게 가장 부러운 점이 평생 어린아이로 남는다는 것이었어. 하지만 이 문장을 읽고 나니 다시 한번 생각을 하게 되더라. 어린아이로 평생 남아있는 것도 마냥 좋지 않을 수도 있겠더라고. 어른이 되면 동심을 잃기 마련이라 나는 어른이 되지 않고 평생 동심을 가진 어린아이로 살아가고 싶었거든. 그리고 걱정 없이 천진난만하게 살 수 있는 것도 부러웠고. 그래서 걱정이 없어 보이는 너를 보면 기분이 좋았나 봐.

어른이 되는 것도 하나의 성장 과정이긴 하지만 난 그래도 평생 어린아이로 남고 싶었어. 근데 너의 말을 듣고 보니 생각이 바뀌었어. 사람은 누구나 자라고 나 또한 자라기 때문에 어른이 되는 건 당연한 거잖아. 또 어른이 되어도 동심을 잃지 않고 살 수도 있고 미래는 아무도 모르는 거니까. 오히려 어른이 되어서 더 행복하게 사는 사람들도 있잖아.

그런데 너는 걱정 없이 살고 있니? 꼭 어린아이라고 해서 걱정이 없는 건 아니겠지만 너라도 그랬으면 좋겠다. 앞으로도 네버랜드에서 영원한 소년으로 남아 어린아이들의 동심을 지켜주고 좋은 기억들만 남겨주는 멋진 소년으로 살아가길 바랄게. 그럼, 안녕!

"죽는다는 건 정말 대단한 모험일 거야."

피터 팬은 죽음을 꿈꾸기도 하였다. 모험심이 매우 강한 아이였던 것 같다. 그래서 어린아이들이 좀 더 호감을 느꼈을지도 모른다. 피터 팬은 많은 어린아이에게 행복을 주고 지금까지도 많은 어린아이의 동심 속에서 기억되고 있다. 나에게 그렇듯이.

<팅커 벨에게>

팅커 벨, 너는 날 수 있어서 정말 좋겠다! 난 항상 너를 보며 나도 너처럼 귀엽고 작은 소녀 요정이 되어보고 싶다는 상상을 했었어. 그리고 잎사귀로 만든 드레스도 너무너무 귀엽고 멋지더라.

너 피터 팬 좋아하지? 피터 팬과 함께 있는 시간 들이 많아서 정말 좋겠다. 좋아하는 사람과 함께 시간을 보낸다는 건 생각만 해도 행복하잖아! 너도 행복하지?
너의 이름이 벨이고 별명이 팅크잖아. 그 이유가 요정인 네가 인간에게는 방울 소리로밖에 들리지 않는 언어를 사용하기 때문에 붙은 이름이라며 내가 볼 땐 너무너무 귀여운 것 같아. 팅커 벨! 그런데 팅커라는 단어가 귀여운 어감과는 달리 땜장이라는 의미로 너의 직업을 지칭하잖아. 너는 피터 팬과 함께하기 전에는 냄비나 주전자 등의 금속제품을 수리하며 생계를 이었다고 들었어. 그렇게 작은 몸으로 정말 힘들었겠다. 그래도 피터 팬을 만나 정말 다행이야!

네가 피터를 정말 좋아해서 피터가 웬디와 입을 맞추려 할 때 웬디의 머리카락을 잡아당겨 심술을 부렸잖아. 나는 질투하는 네 모습이 귀엽기도 하고 안쓰럽기도 했어. 사실 나도 질투심이 정말 많아. 나는 진심으로 상대를 사랑하고 좋아한다면 질투심은 자연스럽게 생기는 감정이라고 생각해. 나는 아직 너처럼 진심으로 사랑해 본 적은 없지만 나도 내가 정말 사랑하는 사람이 다른 사람과 입을 맞추려 한다면 심술을 부렸을 것 같아.

그리고 난 네가 정말 피터를 진심으로 좋아하고 있다고 느꼈어. 후크가 몰래 타 놓은 독약을 피터가 마시려고 할 때 네가 대신 독약을 마시고 피터를 구했잖아. 가장 소중한 건 자기 목숨인데 목숨보다도 더 소중한 사람이 있다니. 지독한 짝사랑을 했다는 생각이 들어. 나였다면 아무리 사랑하고 좋아해도 대신 마시진 못했을 것 같은데 넌 정말 대단해. 그래도 짝사랑만 하지 말고 피터에게 고백했으면 좋았을 텐데. 너는 피터를 보는 것만으로 행복했던 걸까. 나는 아직 잘 모르겠어. 나도 언젠가 너처럼 목숨까지 내어줄 정도로 진심으로 사랑하는 날이 오겠지? 그땐 너의 마음을 알 수 있을까?

앞으로는 말썽 피우지 말고 잘 지내. 귀여운 소녀 요정, 팅커 벨! 그럼, 안녕.

"오늘을 살고, 내일을 기다리고, 어제를 기억하세요. 일어나는 모든 일에는 이유가 있으니까."

이 말은 팅커 벨의 명대사 중 하나인데 팅커 벨은 몸집도 작고 말썽도 피우는 아이였지만 어떨 땐 진지한 생각도 할 줄 알고 자신의 소중한 사람도 지킬 수 있는 멋진 요정이었던 것 같다. 우리는 피터 팬과 팅커 벨을 실제로 만나진 못하지만, 이들을 실제로 만난 동화 속 어린아이들은 그 순간을 평생 기억하고 싶을 것이다.

내게도 평생 기억하고 싶은 순간들이 많은데 그중에서도 정말 내가 기억하고 싶은 순간은 내가 이 세상에 태어난 순간이다. 왜냐하면 내가 세상을 마주한 가장 첫 번째 기억이기 때문이다. 사실 기억이 나지 않는 게 맞지만 그래도 나에겐 평생 잊고 싶지 않은 날이자 기억이다. 엄마, 아빠가 정말 행복했던 순간이었다고 얘기해준 것이 나에게도 행복한 기억으로 남은 것 같다. 엄마, 아빠에게 가장 행복했던 순간이었다면, 분명 나도 행복했을 테니 말이다. 그런 소중한 기억들은 살아가면서 힘들 때마다 정말 큰 힘이 된다.

인간은 동물들과 달리 본능에 이끌려 살아가지 않고 내가 어떻게 살아갈지 스스로 생각하고 결정해서 살아갈 수 있다. 그래서 나는 더더욱 내 인생을 내가 신중히 결정해 살아가고 싶다.
내가 결정하는 것에 따라 내 인생이 결정된다는 것이 어쩌면 되게 무섭기도 하고 두렵기도 하다. 하지만 나에게 '노력'이라는 발판이 깔려있다면 내 인생의 결정은 좀 더 쉬워질 것이다. 언제나 그 발판을 가지고 살아가야겠다. 피터 팬이 한 말처럼 우리에겐 꿈을 이루기 위한 충분한 시간이 있다.

"밤하늘의 별은 아름답다. 하지만 별은 어떤 일에도 끼어들지 않고, 그저 영원히 지켜보기만 한다. 그것은 이제는 기억하는 별도 없을 만큼 아주 오래전에 저지른 잘못 때문에, 별들에게 내려진 벌이다."

별은 멀리서 보면 반짝거리고 우리가 알고 있는 아름다운 모양이지만, 아주 가까이서 보게 된다면 그저 수소 기체와 먼지가 섞여 만들어진 기체 덩어리로 밖에 보이지 않는다.
우리의 꿈은 별과 같다는 생각이 든다. 아름답지만 절대 나에게 닿지 못할 것 같기 때문이다. 하지만 꿈은 나에게 확신과 노력이 있다면 반드시 내게 닿는다는 것이 별과 다르다.

우리는 꿈을 이루기 위해 정말 많은 노력을 하고 인생의 대부분을 쏟아붓는다. 그만큼 우리에겐 꿈을 이루는 것이 간절하다. 인간에겐 수명이 정해져 있기에 더 그런 것 같다. 피터 팬처럼 영원한 젊음을 가지고 살아가면 시간의 제약을 조금이나마 덜 받지 않을까. 하지만 영원한 젊음을 가지고 있지 않은 우리에게도 꿈을 이루기 위한 시간은 충분히 있다. 희망을 버리지 않고 노력이 발판이 되어 준다면 우린 어떠한 어려움이 있더라도 꿈을 이룰 수 있을 거다.
꿈이 있다는 것은 중간에 넘어져도 다시 일어날 용기도 있다는 것이다. 꿈을 향해 가는 길은 생각보다 험하고 힘들지도 모른다. 그럼에도 우리에겐 시간도, 용기도 있다는 것을 기억했으면 좋겠다.

하루하루를 살아가는 것도 꿈에 가까워지는 한걸음의 발자취이다. 나는 하루를 끝내고 보내주는 것이 아직은 멀리 있는 나의 꿈에게 안부를 전하는 것이라고 생각하며 하루하루를 살아간다. 그러다 보면 나는 내 꿈에 꼭 맞닿아 있겠지. 오늘은 내 소중한 하루를 어린 시절 나를 위로해 주고 꿈을 심어준 피터 팬을 추억해 보았다. 한 발 더 가까워진 나의 꿈에게 안부를 전한다.

* * * * *

안네의 일기

"내가 책을 쓰거나 신문 기사를 쓸 수는 없더라도,
언제라도 나 자신을 위한 글은 쓸 수 있다."

- 안네 프랑크 -

안네는 제2차 세계대전 중 두렵고 불안한 하루하루를 보내면서도 안네의 일기장 '키티'에 꾸준히 일기를 썼다. 그 속엔 안네가 직접적으로 표현하지 못했던 내면의 생각들과 전쟁으로 고통받는 상황들의 내용들이 담겨있었다.

키티는 안네의 진실한 마음의 친구였다. 안네가 죽어서도 안네의 일기는 역사적인 기록물이 되어 많은 사람이 읽고 있다. 사실 안네에겐 키티가 아니더라도 주변을 둘러보면 속마음을 털어놓을 만한 사람들이 있었다. 하지만 일기장인 키티에게 계속 털어놓았던 이유는 자신의 이야기가 엉뚱하게 다른 사람들 입에 오르내리게 될까 봐 겁이 났기 때문이다.

"이렇게 햇빛과 구름 한 점 없는 하늘이 존재하는데, 그리고 이를 내가 즐길 수 있는데 내가 슬퍼할 이유가 있을까?"

안네는 은신처에서 갇혀 생활하면서도 희망을 잃지 않고 창으로나마 들어온 햇빛에 감사하고, 달을 보고 싶어 잠을 자지 않고 달빛을 구경하기도 했다.

안네는 자기보다 나이가 좀 더 많았던 오빠와 사랑의 감정을 느끼고 서로 사랑을 나누었다. 열악하고 고통스러운 상황에서 키티 말고도 외롭지 않도록 해주는 친구가 있었다는 것이 다행인 것 같다. 그런 상황 속에서도 항상 긍정적이고 밝은 안네가 정말 대단하다는 생각이 들었다.

나에게도 안네처럼 어떠한 상황이라도 자신의 속마음을 다 털어놓을 수 있는 편한 친구이자 동반자 같은 존재가 있을까?
나에게 안네의 일기 '키티'와 같은 존재는 '인형'이다. 인형은 그저 형형색색의 천에 솜이 들어간 것뿐이지만 누군가에겐 평생의 친구가 되어 주기도 한다. 비록 말을 할 수 있는 사람이나 교감이 되는 동물이 아니지만, 오히려 아무 말 없고 아무 감정 없어서 온전히 내 감정을 주고 내 마음을 털어놓을 수 있는 것 같다. 실제로 인형과 대화해 본 적은 없지만 인형은 굳이 말하지 않아도 위로가 되고, 상처가 치유되는 마법을 가지고 있는 것 같다.

나에게도 그런 마법이 있으면 좋겠다. 힘든 사람들의 상처들을 말없이 치유해 주고 말없이 떠나는 그런 멋진 마법 말이다. 그런 마법이 있었다면 우리는 모두 행복했을까?

어쨌든 안네에겐 키티가 있었기 때문에 고통스러운 전쟁 속에서도 항상 밝고 긍정적인 모습이었을 것이다. 정말 다행이다.
안네가 쓴 일기에는 제2차 세계대전의 불안을 겪는 상황과 고통 들이 정말 생생하게 쓰여 있다. 안네가 얼마나 힘들었을지 예상이 갈 정도로 안네의 글은 정말 생동감이 넘쳤다.
그리고 안네가 일기를 꾸준히 써서 읽다 보면 안네도 좀 성장하고 변한 것도 많이 느껴진다. 나였다면 그 무섭고 불안한 상황 속에서 항상 밝은 모습을 보이며 일기까지 쓰며 생활할 수 있었을까?
사실 난 전쟁 중인 상황이 아니더라도 평소에 꾸준히 일기를 잘 안 쓰는 편이다. 왜 항상 꾸준히 하는 것은 어려운 걸까? 꾸준함 속에서 소소한 행복들을 찾는 게 어렵기 때문이다.

문서원

＊＊＊

나는 요즘 거의 매일매일을 비슷하게 보낸다. 매일 비슷한 일상이지만 어떤 날은 즐거웠고, 어떤 날은 속상했고, 어떤 날은 화가 났었다. 하루하루가 비슷한 듯 다르다. 이렇게 반복되는 일상 속 나는 소소한 행복들을 찾고, 그것으로 내가 오늘 하루 받았던 상처들을 치유하며 힐링한다.
하지만 난 조금은 내 일상들이 지겹게 느껴질 때가 있다. 그래서 오히려 노력을 더 잘 안 하게 되는 것 같다. 나에겐 내가 하고 싶은 것도 있고, 해야 할 것도 있지만 내가 하고 싶은 것을 하기 위해선 해야 할 것을 먼저 해야 한다. 당연한 말이지만 나는 이 당연한 걸 잘 못한다. 그래서 항상 하루의 끝을 후회로 마무리하게 된다.

안네는 불안한 상황 속에서도 꾸준함과 밝은 모습을 유지했고 작은 행복 속에서도 큰 행복을 느꼈다. 나도 안네처럼 어떠한 환경에서도 밝은 모습을 잃지 않고, 내게 주어진 모든 행복에 감사하며 열심히 살고, 내 하루의 마무리를 고생한 나 자신을 쓰다듬어 주는 것으로 마무리하고 싶다.

"희망이 있는 곳에 삶이 있다. 희망은 새로운 용기를 주고, 우리를 다시 강하게 만들어 주기 때문이다."

안네는 어렸을 때부터 정말 처절하고 고통스러운 삶을 살아왔지만,

오히려 안네의 글들은 희망을 얘기하고 있었다. 안네는 그 어떤 상황에서도 희망을 절대 버리지 않은 아주 대담하고 강인한 아이였던 것 같다.

희망이란 앞으로 잘될 가능성을 뜻한다. 안네도 앞으로 잘될 것이라고 믿었던 걸까?
우리는 가끔 희망이란걸 놓아버리거나 놓쳐버릴 때가 있다. 왜냐하면 희망은 헛된 것이라고 생각할 때가 있기 때문이다. 살면서 많은 고난과 역경은 당연히 존재한다. 물론 사람마다 어떻게 받아들이고 어떻게 헤쳐 나가는지에 따라 다르겠지만 분명 고난과 역경이 있고 그 또한 우리에겐 하나의 계단이다.
그렇게 희망을 가지고 계단을 하나하나 오르다 보면 어느새 우린 희망이 헛된 것이 아니라는 것을 증명해 줄 정상에 도착해 있을 것이다. 속도는 절대 중요하지 않다. 끝까지 오르냐 포기하냐가 정상에 도착할 가능성을 만들어 낸다. 그러니 포기하고 싶단 생각이 들 때는 포기보단 쉼으로 정상에 도착할 가능성을 좀 더 채워가도록 해야겠다.

"'못된 안네'는 언제나 겉으로 드러나 있고, '착하고 순수한 안네'는 안 보이는 곳에 꼭꼭 숨어 있어요. 만약 이 세상을 나 혼자 사는 거라면 내가 생각하는 가장 바람직한 모습대로 살 수 있을 텐데…….

하지만 언젠가는 꼭 다른 이들 앞에서 정말로 멋진 안네의 모습을 보여 줄 거예요."

왜 안네는 '못된 안네'는 언제나 겉으로 드러나 있고, '착하고 순수한 안네'는 안 보이는 곳에 꼭꼭 숨어 있다고 말했을까? 그리고 왜 그렇게 느꼈던 걸까?

안네의 일기를 보며 안네에게 궁금한 것도 많았고 묻고 싶은 것도 많아졌다. 내가 안네를 만났다고 상상하며 이야기를 나눠보려고 한다.

나: 2차 세계대전이라는 큰 전쟁 속에서도 희망을 잃지 않고 일기를 쓰면서 밝은 모습을 유지할 수 있었던 이유가 있나요? 있다면 어떤 이유인가요?

안네: 저는 언제나 희망이 있다면 꼭 그 일이 일어날 것이라고 믿어요. 그리고 저는 아직 제 곁에 남아있는 행복들을 생각하고 보며 행복해지고 밝아져요. 누구든지 행복한 사람은 다른 사람을 행복하게 해준다고 하잖아요! 그래서 제가 행복한 사람이 되어 이러한 열악한 상황에서도 다른 사람을 행복하게 해주고 싶었어요. 그렇게 생각하다 보니 나 자신이 희망을 잃지 않는 사람이 된 거예요!

나: 진짜 멋진 생각이에요. 그래서 이런 환경에서도 희망을 잃지 않고 항상 밝은 모습을 유지할 수 있었군요. 정말 멋지고 대단하네요. 안네 양이 행복한 사람이 되어 다른 사람을 행복하게 해주고 싶다는 말이 정말 인상 깊었어요. 안네 양처럼 저도 스스로 행복한 사람이 되어 다른 사람들을 행복하게 해주는 멋진 사람이 되어보도록 노력해 볼게요.
안네 양에게 키티는 어떤 존재였나요?

안네: 음, 키티는 말로 표현할 수 없을 만큼 값지고 소중했던 존재예요. 저는 누구든 다른 사람에게 제 속마음을 털어놓는 것이 무척 신경 쓰였거든요. 그런데 키티는 제 속마음을 편하게 털어놓을 수 있는 유일한 존재였어요. 사실 전쟁이 일어나고 은신처에 있는 동안 밝은 모습으로 지냈지만, 마음 한편에 외로움이 조금 있었는데 그 외로움을 키티 덕분에 없앨 수 있었어요. 키티는 언제나 제 곁에 있는 저의 일부와도 같아요.

나: 키티가 안네 양에게 정말 정말 소중한 존재였다는 것을 다시 한번 느끼게 해주는 답변이었어요. 키티가 있어서 참 다행이라고 생각해요. 키티도 안네 양 같은 주인을 만나서 정말 행복했을 거예요. 키티가 사람은 아니지만 사람만큼의 몫을 하는 것 같네요. 저도 안네 양처럼 꾸준히 하루하루를 기록하는 좋은 습관을 들여보도록

노력해야겠어요.
이제 마지막 질문이에요. 만약 안네 양에게 속마음을 털어놓을 수 있게 된 페터가 없었다면 어땠을 거 같나요?

안네: 일단 정말 슬플 것 같아요. 물론 저에겐 속마음을 털어놓을 수 있는 키티가 있지만, 그래도 페터는 제가 사랑하는 사람이자 친구잖아요.
키티에게는 제 속마음을 거리낌 없이 전하는 것밖에 할 수 없었지만, 페터에겐 제 속마음을 털어놓으면 페터도 제게 속마음을 털어놓잖아요. 저는 서로 대화를 나누고 마음을 나눌 수 있는 페터가 너무 소중했고 고마웠어요. 페터도 키티만큼 정말 소중한 존재이고, 제게 절대 없어서는 안 되는 사람이죠. 만약 페터가 없었다면 제가 지금처럼 밝은 사람이 되지 못했을 수도 있었을 것 같아요.

나: 페터를 생각하는 마음이 정말 깊은 것 같아요. 열악하고 불안한 전쟁 상황 속에서도 마음을 나누고 깊이 대화할 수 있는 친구가 있다는 자체만으로도 서로가 서로에게 엄청난 힘이 되었겠어요. 안네 양은 생각이 깊고 착한 마음씨를 가지고 있으니 어디서든 좋은 친구를 만났을 거예요. 인터뷰에 잘 응해줘서 정말 고마워요.
"우리가 두려움 없이 하늘을 바라볼 수 있는 한 그리고 내면의 순수함을 잃지 않는 한 그것은 여전히 행복으로 남아있을 거야."

안네의 일기에는 대부분 처절한 삶을 살아온 것에 대한 원망이나 좌절감이 아닌 끊임없는 희망과 긍정적인 말들이 많이 있다. 그래서 더 와닿는 것 같다. 제2차 세계대전을 겪으며 자란 안네이지만 누구보다 밝았고 희망이 넘쳤기에 그 상황 속에서도 일기를 쓰고 자신의 이야기를 널리 알릴 수 있었다.

누구에게든 고난과 역경이 찾아오는 순간이 반드시 온다. 그렇지만 조그만 희망조차도 놓지 않고 그 희망을 키워나가다 보면 그 어떤 고난과 역경도 우리에겐 그저 작은 구덩이일 뿐이다. 그 구멍을 희망으로 꾹꾹 채워 씩씩하게 걸어 지나가서 또 한 층의 계단을 오르면 된다. 오늘도 내일도 올라야 할 계단은 미래에 내가 내려다보게 될 나의 길이다. 완벽하진 않더라도 절대 무너지지 않는 단단한 나의 길을 만들어 나갈 것이다.

문서원

* * *

* * * * * * * * * * *

2미터 그리고 48시간

"정음아, 체질이 바뀐 게 아니야.
아픈 거지."

-유은실 -

중학교 1학년 여름, 정음이에게 그레이브스씨가 찾아왔다. 체질이 바뀐 줄만 알고 기뻐하던 정음은 이런 현실을 믿을 수 없었다.

평범하게 살아오던 정음이에게 갑작스럽게 '그레이브스병'이라는 불행이 찾아온 것처럼 우리에게도 가끔 불행이 찾아오곤 한다. 불행이란 행복하지 않은 것을 뜻한다. 그렇다면 행복이란 무엇일까?

행복의 사전적 의미는 '복된 좋은 운수'지만 나는 행복에는 의미나

뜻이 없다고 생각한다. 행복은 한마디로 정의할 수 없기 때문이다. 행복을 느끼는 기준은 누구나 다 다르다. 어떤 사람은 추운 겨울날 따뜻한 집에서 귤을 먹으며 영화 한 편 보는 정도의 소소한 것에 행복을 느낄 수도 있고, 어떤 사람은 아주 비싼 호텔에서 호캉스를 즐기는 호화로운 것에 행복을 느낄 수도 있다.

행복은 불행이 있기에 존재한다. 매일매일 행복으로 가득 차 있다면 분명 그걸 행복이라 생각하지 못할 것이다. 그 불행을 극복하고 행복을 만났기에 행복이라 말할 수 있는 것이다.
그러니까 우리에게 찾아오는 갑작스러운 불행에 대해 너무 절망하지 않았으면 좋겠다. 슬퍼하지 말라는 말은 아니다. 충분히 슬퍼하고 난 다음에 다시 일어나 내 인생의 불행을 지워가며 행복으로 다시 색칠하면 되니까. 지금 나에게 닥친 불행이라는 현실을 마냥 부정하고 한탄하고만 있지 말고, 인정하고 받아들인 다음 더 나은 삶을 만들어 나가면 된다.

힘든 일이 있을 때 우린 대부분 소중한 사람과 함께 시간을 보내곤 한다. 그리고 그 안에서 상처를 치유하고 다시 나아갈 용기를 얻는다. 그 과정에서 우린 '위로'도 받고, '충고'도 받는다. 위로와 충고의 차이점은 무엇일까?
위로는 '따듯한 말이나 행동으로 괴로움을 덜어 주거나 슬픔을 달래 줌'을 의미하고, 충고는 '남의 결함이나 잘못을 진심으로 타이름'을 의미한다. 위로는 상처를 치료해 주는 역할이라 생각하고 충고는 다시 나아갈 용기를 주는 역할이라 생각한다. 이러한 차이점이 있지만 가장 큰 공통점은 상처를 받은 상대방을 생각하는 마음이 담겨있다는 것이다.

그러나 가끔 위로나 충고가 오히려 상처를 줄 때도 있다.

"일부러 심슨이라고 불러 본 거야. 그냥 편하게 받아들이라고. 나라면 아이디랑 카톡 프로필을 심슨으로 바꾸겠다. 그럼 심슨이 놀림받는 말이 아닌 게 되잖아. 세상을 바꿀 순 없대. 나를 바꿔야지. 친한 친구니까 하는 얘기야."

크레이브스병 증상인 튀어나온 눈 때문에 심슨으로 놀림 받는 정음에게 친한 친구라서 해주는 얘기라며 상처를 주는 말을 하였다. 이런 말은 과연 진짜 위로나 충고라 할 수 있을까?
힘들고 지친 순간이 찾아왔을 때 위로를 받는 것은 아주 큰 힘이 된다. 하지만 이러한 상처를 주는 위로나 충고는 오히려 이미 다친 상처를 더 아프게 할 뿐이다. 그리고 진짜 위로와 충고라 할 수도 없다.
상대방의 상처를 건드리지 않고 위로하려면 어떻게 해야 할까? 그 방법은 아주 간단하다. 상대방의 마음을 헤아려 마음에서 우러나오는 말을 해주는 것이다.
진심 어린 위로를 해준다면 상대방의 상처를 건드리지 않고 위로할 수 있다. 만약 상대방의 상처가 너무 커서 그게 어렵다면 굳이 말로 위로를 하지 않아도 된다. 묵묵히 옆에 있어 주는 것만으로도 위로가 될 수 있다. 결국 상처는 시간이 흐르면 다 아물고 회복된다. 하지만 이 시간을 어떻게 보내는지가 상처가 회복되는 시간의 속도를 결정한다. 상처가 치유되는 동안 힘들어하는 사람의 옆을 채워주고 기다려주면 다시 힘을 내어 일어날 수 있게 될 것이다.

그렇게 우리는 힘든 순간을 함께 극복해 나갈 수도 있고, 나아가 혼자서 극복할 힘도 얻게 된다. 항상 행복하고 즐거운 순간만 있으면 좋겠지만 그럴 순 없다. 분명 힘들고 지친 순간들도 찾아온다. 하지만 진짜 위로와 충고, 그리고 극복해 나갈 내 용기와 시간만 있다면 내 인생은 다시 행복한 순간들로 가득 채워져 있을 것이다.
나에게도 정음이처럼 갑작스럽게 불행이 찾아와 진심이 담긴 위로와 충고가 필요할 때가 있었다. 그래도 내 곁엔 위로의 손길들이 있었기에 잘 이겨낼 수 있었다. 다시 말하지만, 누군가를 위로한다는 것은 결코 쉬운 일은 아니다. 그래도 정말 상대방의 상처를 치유해주고 싶다는 진실한 마음으로 다가가 보길 바란다. 위로는 마음으로 마음을 어루만지는 것이라고 생각하기 때문이다.

생각해 보면 나는 위로를 해주는 것 보다 받았던 적이 더 많았던 것 같다. 앞으로는 내가 할 수 있는 많은 따뜻한 말들이 내 곁에 힘들어 하는 사람을 위한 위로가 될 수 있도록 노력해야겠다. 그래서 내가 진심을 담아 해준 위로와 충고가 상대방에게 큰 힘이 되어주고 용기를 줄 수 있으면 좋겠다.

힘든 순간을 극복하고 이겨내 나가는 방법은 위로도 있지만 위로는 결코 힘든 일을 완벽하게 다 해결해 주진 못한다. 무엇보다 가장 중요한 것은 자기 마음이다. 아무리 많은 위로나 충고를 들어도 결국 힘든 일을 이겨내야 하는 사람은 자신이다. 그러니 항상 강한 마음을 지니고 있어야 한다. 정음이도 강한 마음을 가지고 있었기 때문에 혼자 병원도 잘 가고, 엄마와 동생을 생각해서 혼자 비어있는 할머니 집에서 48시간 동안 지낼 생각도 했던 것 같다.
언제나 강한 마음으로 살아갈 수는 없겠지만, 힘든 순간이 왔을 때나 스스로 성장하고 이겨낼 수 있도록 강한 마음을 가지고 살아가야겠다.

힘든 순간을 이겨내는 것은 하나의 성장 과정이다. 우리는 누구나 성장하고, 이 순간에도 성장하는 중이다. 신체적으로나 심리적으로나 우리는 끊임없는 성장을 한다. 하지만 성장은 기쁨과 설렘도 있지만 두려움이 함께 존재한다. 성장은 우리에게 많은 책임감을 안

겨주기 때문이다. 그 책임감을 안고 또다시 나아가는 것을 성장했다고 할 수 있다. 행복과 불행을 끊임없이 느끼고 극복해 나가는 것은 성장하고 있음을 뜻하는 것 같다.

정음이도 진짜 위로와 충고를 받았으면 조금이나마 덜 무섭고 덜 외롭지 않았을까? 내가 만약 정음이의 곁에 있었다면 따뜻한 위로 한마디를 건네고 싶다. 너무 걱정하진 말라고, 다 잘될 거라고.

"'완치'가 얼마나 어려운 것인지, 어쩌면 완치는 존재하지 않는지도 모른다. 완벽한 인간이나 완벽한 가족처럼."

요오드 치료를 받고 나온 정음이는 이렇게 생각했다. 정음이의 생각처럼 정말 완치는 존재하지 않을 수도 있다. 예를 들어 감기에 걸렸다고 치자. 감기는 눈에 보이지 않지만 감기 때문에 생긴 증상은 눈에 보이기도 하고 내가 직접 느낄 수 있다. 그래서 약을 먹고 쉬다 보면 증상이 낫는 게 느껴지고 서서히 없어진다. 근데 완벽히 완치되지 않았을 수도 있는 것이다. 물론 증상은 호전되었지만 언제 다시 감기에 걸릴지 모르는 거니까.

정음이도 언제 또 재발할지 몰라서 완치가 아닐 수도 있다고 생각한 것 같다. 그리고 완치는 병을 완전히 낫게 한다는 것인데 정음이가 그레이브스병에 걸려 아파했던 시간 들은 결코 정음이 마음속에선 치유가 되지 않았을 수도 있다.
무엇보다 정음이에겐 항상 가족들의 빈자리가 있었기에 완치라는 것이 좀 더 어렵게 느껴졌을 수도 있다. 아직 미성년자이고 열여덟 살밖에 안 된 어린 소녀가 혼자 짊어지기에는 조금 무거운 짐이었나 보다. 만약 엄마, 아빠가 이혼하지 않고 함께 살면서 그 무게를 조금씩 덜어줬으면 정음이도 덜 힘들었을 텐데.

"집 밖에서 만나는 모두에게 '가벼운 병이 있지만 늘 잘 지내는 사람'을 연기하려 애쓴다. 연기하는 게 힘들 때도 있다. 그렇다고 무대에서 내려올 자신도 없다. 공연이 끝나면 관객이 빠져나가듯, 무대에서 내려온 순간 모두 멀어질 것만 같다."

요오드 치료를 마치고 친구들과 연락하며 정음이는 이렇게 생각했다. 가장 무섭고 두려운 사람은 정음이다. 하지만 그 순간에도 친구들과 멀어질까 봐 애써 괜찮은 것처럼 말하는 정음이를 보며 많은 짐을 짊어지고 있는 것 같다고 느꼈다. 그 순간 정음이에겐 진짜 위로나 충고가 필요했을 것 같다.

내가 정음이의 친구라면 추천해 주고 싶은 따뜻한 글귀가 있다.
"사소한 것들에 웃을 줄 알고 거대한 슬픔에 담담히 버틸 줄 아는 내가 되어가기를. 약한 마음을 가진 상태로는 현실을 버텨내기가 너무 어려우니까."

누구보다 강한 정음이란걸 알지만 그래도 사람은 누구나 속으로 더 힘들어할 수도 있다. 그래서 이 글귀를 추천해 주고 싶었다. 이 말은 나에게도 많은 힘을 주었다.

현실이 때론 너무 무서울 때도 있고 어렵고 힘들 때도 있다. 하지만 우리는 현실을 피할 수는 없다. 그리고 힘든 순간이 와도 현실을 받아들이고 살 용기는 누구나 가지고 있다고 믿는다.

위로에는 여러 종류가 있지만 어떤 위로든 상대방의 감정과 마음을 헤아려 줄 수 있다면 상대방에겐 그 어떤 것보다 큰 힘이 되고 용기를 준다. 나는 내가 누군가에게 위로받아서 얻은 힘을 다시 누군가에게 따뜻한 위로로 나눠줄 수 있는 사람이 되고 싶다.

이 세상에 그 어떤 것보다 따뜻한 위로 한마디가 듣고 싶은 이들에게 전하고 싶다. 힘들어하고 무너지고 슬퍼해도 괜찮다. 또 모든 걸 포기하고 싶을 수도 있다. 하지만 이것만 기억했으면 한다. 삶은 그 자체로 소중하다.

문서원

* * *

작가 후기

나는 어릴 적부터 아주 소심하고 낯도 많이 가리는 소극적인 성격이었다. 하지만 글을 쓸 때만큼은 다른 성격이 된다. 글을 쓰다 보면 내 이야기를 자연스레 털어놓게 되어서 글을 쓸 때만큼은 적극적이고 외향적인 성격이 되는 것 같았다.

처음 책을 낸다는 이야기를 들었을 땐 내가 과연 완성할 수 있을지 걱정이 많이 되었다. 나는 새로운 일을 시작할 때 항상 걱정과 두려움이 앞서고 내가 과연 끝까지 잘 마무리할 수 있을지 나를 의심한다. 하지만 정말 열심히 써서 글 하나하나가 쌓여가는 것을 보니 '나도 노력하면 되는구나.'를 느꼈고 너무너무 뿌듯했다. 내가 지금까지 한 일 중에서 가장 큰 뿌듯함과 성취감을 느낀 것 같다.

나는 이 책을 만들면서 새로운 꿈이 생겼다. 행복을 만들어 사람들에게 전파해 주는 사람이 되고 싶다. 행복은 어디에나 존재하지만, 때론 가까이 있는 소소한 행복들은 쉽게 놓쳐버리고 멀리 있는 큰 행복만을 바랄 때가 있다. 행복의 크기는 중요하지 않다는 것을 보여주고 싶다. 삶 그 자체로 소중하고 행복하다는 것을!
나는 힘이 들고 삶의 소중함을 가끔 잊게 될 땐 책을 읽으며 위로와 용기를 얻는다. 이게 바로 내가 글을 쓰고 싶은 이유고 글을 쓰게 된 계기이다. 내가 책을 읽으며 받았던 위로와 용기를 다시 돌려주고 싶었으니까. 내 위로가 아주 대단하진 않더라도 '누군가에게 힘이 조금이라도 된다면…….'하는 생각으로 열심히 썼다.
나는 밝은 모습과는 다르게 마음이 좀 여린 성격이어서 가끔 상처를 잘 받는다. 난 그런 나의 성격이 싫었다. 하지만 이젠 아니다. 위로를 주제로 글을 쓰고, 어떤 위로가 누군가에게 따스한 손길처럼 돌아갈 수 있을지 많이 고민하며 쓰다 보니까 나 자신도 많이 성장했다. 나의 그런 성격이 있었기에 좋은 위로에 대해 더 진심으로 생각했는지도 모른다. 비록 완벽한 위로는 아닐지라도.

책 만들기 프로젝트를 하기 전에는 일주일에 책 한 권 읽기도 힘들어했고, 글을 쓸 때 한 페이지 채우기도 힘들었던 내가 이젠 네 편의 독후감을 써서 작가가 되었다는 게 정말 뿌듯하고 스스로도 성장한 게 많이 느껴졌다.

나는 그저 삶 그 자체로 소중하고 당신은 당신 자체로 소중하다는 것을 알려주고 싶었다. 소중한 사람들을 위해 글을 쓸 수 있는 아주 재미있는 경험을 할 수 있어 너무너무 좋았다. 존재만으로 소중한 모든 사람에게 내 행복을 선물해 줄 수 있으면 좋겠다. 내 꿈이 실현되는 날이 올 때까지 난 열심히 글을 쓸 것이다.

문서원

4

인생을 바꾸는 강한 의지

지킬 박사와 하이드
지킬 박사와

박시호

저의 성격은 무엇이든지 혼자 하는 것을 좋아하고 결단력이 있습니다. 제가 좋아하는 것은 만화책 읽는 것입니다. 가만히 있는 것을 잘하지 못하고, 사람이 엄청 많은 것을 싫어합니다. 제가 좋아하는 책은 판타지 소설이나 탐험 소설입니다. 그리고 제가 꼭 해보고 싶은 것은 혼자 해외에서 살아보는 것입니다. 조용하고 평화롭게 살고 싶습니다.

나무를 심은 사람

지킬 앤 하이드

장발장

마틸다

* * * * * * * *

나무를 심은 사람

"그는 신이 보낸 일꾼이었다."

\- 장 지오노 -

한 여행자가 왕래가 없고 사람이 거의 없는 높은 곳으로 여행을 떠났다. 하지만 그곳은 황무지였고 마실 물도 모두 떨어진 상태였다. 그런데 멀리 어떤 물체가 보였다. 나무 그루터기인 것 같았지만 양치기였다. 그 양치기를 만나고 이 사람의 인생은 변화한다. 그 양치기의 이름은 엘제아르 부피에였다. 부피에는 그 남자를 챙겨주고 머무르게 해주었다. 하루 뒤 양치기는 평소처럼 본인의 일을 하였다. 그것은 나무심기였다. 그는 벌써 몇 년째 나무를 심어 그 황무지를 숲으로 바꿔오고 있었다. 엘제아르 부피에에게는 원래 아들과 부인이 있었다. 하지만 연달아 둘을 모두 잃고 산으로 들어가 나무를 심기 시작했다.
그리고 제1차 세계대전이 일어났다. 그 여행자는 5년 동안 전쟁터에서 싸웠다. 그는 전쟁을 하는 동안 양치기의 생각을 할 수 없었다. 하지만 전쟁이 끝나고 나라가 황폐해졌을 무렵, 그 양치기 생각이 났다. 그는 부피에를 다시 찾아가 보기로 결심했다. 그는 전쟁 동안 사람이 죽는 것을 너무 많이 보았기 때문에 어쩌면 양치기도 죽었을 거라 생각했다. 하지만 엘제아르 부피에는 살아있었다. 놀라운 것은 5년 전과 똑같이 그는 여전히 나무를 심어오고 있었다는 것이다.

엘제아르 부피에의 이야기를 듣고 제일 먼저 든 생각은 어떻게 사람이 저렇게 한 가지 일을 꾸준히 할 수 있을까였다. 게다가 전문직업도 아닌 일을 본인의 이익도 없이 몇 년 동안 계속할 수 있을까. 나라면 절대 못 할 것 같다.

요즘은 누가 조금이라도 잘못된 말, 틀린 말을 하면 하이에나처럼 달려들어서 물어뜯는다. 우리 반 아이들만 봐도 그렇다. 조금이라도 방해가 되고 피해를 주는 행동을 하면 사정없이 공격한다. 그중에서도 심한 아이가 한 명이 있는데 심해도 너무 심해서 몇 아이들끼리 그를 무시하는 소동이 일어난 적도 있었다. 그렇게까지 아이들이 싫어하는데도 절대 달라지지 않았다. 남이 자신에게 피해를 주는 것은 싫어하면서 자신은 결국 남에게 피해를 준다. 그런 아이들이 과연 남을 위해 봉사를 할 수 있을까?

반면에 부피에의 인격은 바로 알 수 있다. 비영리적인 일을 꾸준히 한다는 것은 결코 쉬운 일이 아니다. 책에 보면 부피에는 50대 정도로 나오는데 그 정도면 충분히 할 수 있는 일이 많은 나이이다. 더 편하고 수입이 보장된 곳에서 말년을 즐길 수도 있었을 텐데. 여생을 오로지 나무 심기에만 몰두했다니 아무리 소설이라도 믿기지 않았다. 현실에서도 부피에처럼 사막 같은 황무지를 숲으로 바꾼 사람들을 봤는데 정말 대단하다는 생각밖에 들지 않았다.

내가 부피에처럼 우리나라를 위해 할 수 있는 일이 있을까? 우선 단순히 환경을 위해 쓰레기 분리수거 잘하기, 개인 텀블러 가지고 다니기 등이 있을 것이다. 하지만 이런 모두가 알고 있는 방법 말고 좀 더 특별한 방법이 있다. 나는 어른이 되면 이런 방법들을 실천해 보고 싶다.
먼저 점점 심각해지는 저출산 문제를 해결할 방법을 제시할 것이다. 사실 요즘도 저출산을 막을 방안들이 나오고 있긴 하다. 하지만 출산하면 돈을 주거나 보상을 해주는 것은 아기를 낳는 데 나쁜 마음을 품는 사람들이 생길 수도 있다. 이런 방법들은 내 생각에 바람직한 방법이 아닌 것 같다.
그래서 나는 출산에 대한 인식이 좋아지도록 교육할 것이다. 학교에서도 출산의 중요성, 필요성 등을 더욱더 강조시킬 것이다. 그렇게 교육받은 아이들은 저출산에 대한 경각심과 출산에 대한 책임감을 느낄 수 있을 것이다. 내가 엘제아르 부피에처럼 이익을 추구하지 않고 순수하게 봉사할 수 있다면 그런 일들을 하고 싶다. 그러면 나도 부피에처럼 양심의 가책을 거의 느끼지 않고 편안하게 눈을 감을 수 있을 것이다.

이 책의 배경은 아무것도 없는 피폐한 황무지에서 아름답고 평화로운 숲으로 변한다. 사람의 마음도 마찬가지다. 때로는 어둡고 초라한 황무지였다가, 때로는 밝고 아름다운 숲으로 변한다. 또 때로는 비바람과 번개가 치다가, 때로는 별이 반짝반짝 빛난다. 이런 것이 사람 마음이다. 나는 황무지가 숲으로 변하는 것을 보고 사람의 마음도 아름답게 만들 방법이 있으면 좋겠다는 생각이 들었다.

나도 매일 여러 가지 기분이 왔다 갔다 한다. 학교에서는 특히 번개가 치고 화산이 들끓었던 적이 많다. 하지만 그런 상황 속에서도 언제나 희망은 존재한다.
나는 중학교에 올라와서 정말 알 수 없는 아이들을 만났다. 누가 무슨 일만 하면 몰아가고 왕따를 시킨다. 그런 아이들 때문에 스트레스를 정말 많이 받는 상황이었는데 나는 그 스트레스를 풀 방법을 찾았다. 바로 내 편을 만드는 것이었다. 알고 보니 그들은 나한테만 그런 것이 아니었다. 피해자가 한둘이 아니었다. 남자아이들 대부분은 그들에게 상처를 받은 적이 있었다. 난 그 친구들과 편을 먹고 그 독재자들을 몰아냈다. 그렇게 독재 정치는 사라지고 우리 반에는 평화가 찾아왔다. 황무지가 사라지고 아름다운 숲이 된 것처럼 말이다. 어쩔 수 없다고 포기했다면 평화는 찾아오지 않았을 것이다.

부피에의 노력은 정말 값진 것이다. 한 사람이 혼자서 아무런 기계와 장비의 도움 없이 황무지를 숲으로 만들려면 끈기와 인내 노력이 엄청나게 많이 필요하다. 나는 부피에의 끈기와 인내를 배우고 싶다. 나는 어떤 목표를 달성하기 위해 매일매일 노력한다는 것은 어떠한 열매를 꽃피우기 위해 계속 나무를 심는 것과 같다고 생각한다.

잘 생각해 보면 누구나 목표를 정해놓고 '작심삼일'로 끝났던 경우가 있었을 것이다. 나도 마찬가지다. 나는 매일 일기를 쓰기로 다짐한 적도 있었고 양치를 하루에 세 번은 무조건 하기로 다짐한 적도 있었다. 하지만 결과는 처참했다. 삼일이 아니라 하루도 못 지켰다. 하지만 중학생이 되면서 생각이 달라졌다. 할 거면 제대로 마음먹고 하고 어차피 포기할 거면 아예 하지도 않는 게 낫겠다는 생각이 들었다. 고등학생인 나의 형은 이번 겨울방학 동안 '윈터 스쿨'이라는 곳에 들어간다. 그곳은 휴대폰도 못 쓰고 하루에 열 시간 정도 공부만 하다 돌아오는 곳이다. 나 같은 중학생들은 듣기만 해도 끔찍하다. 하지만 나도 결국엔 해야 한다. 그러니 힘들어도 나는 꼭 해야 하는 것이면 마음 잡고 제대로 달려볼 것이다. 앞으로 나의 목표가 생기면 형을 본보기로 삼고 포기하지 않고 끝까지 도전하겠다.

나는 앞으로도 내 목표의 땅에 나무를 심어가면서 살 것이다. 그중에 열매를 맺는 나무가 몇 그루나 될지는 모르지만 한 그루라도 열매를 맺도록 피땀 나는 노력을 쏟겠다. 오늘도 나는 글을 쓰면서 마음속에 나무를 몇 그루 심었다. 그리고 나와 비슷한 생각을 가진 친구가 있는데 그 친구와 계속 좋은 관계를 유지하면서 살고 싶다.

지금부터 나의 바람, 소원 등을 '희망'이라고 부르겠다. 첫번째로 근접해 있는 '희망'은 바로 2학년 때 시험을 잘 보는 것이다. 그러려면 부피에처럼 매일 꾸준히 내 뇌에 '공부'라는 나무를 심어야 한다.
나는 여태까지 내가 공부를 잘하는 줄 알았다. 하지만 그건 정말 건방진 나만의 착각이었다. 초등학교에서 조금 뒤처지지 않고 따라갔다고 나는 잘하는 것인 줄 알고 잘난 척을 했다. 하지만 중학교에 올라와서 제대로 된 수행평가라는 것을 봤는데 내가 잘하는 게 아니었다는 것을 깨달았다. 나는 수행평가에서 A를 두 개밖에 받지 못했다. 나의 몇 그루의 나무는 열매를 맺지 못하고 죽은 것이다. 이 나무들을 다시 살려내려면 2학년 시험을 잘 보고 내가 달라졌다는 것을 알려 줘야 한다.

나무를 심은 사람에 나오는 그 여행자도 처음에는 부피에에게 딱 젊은 사람답게 자신감에 찬 말을 했다.

"나무를 10만 그루나 심었으니 10만 그루 모두 열매를 맺어 울창한 숲이 되겠군요"

하지만 전쟁을 겪고 한참 성숙해진 그는 다시 부피에를 찾아갔는데 그때는 5년 전과 나무에 대한 감상과 태도가 확연히 달라진다.

나는 전쟁 같은 무서운 일을 겪은 건 아니지만, 최근 나의 성적표를 보고 크게 충격을 받은 후 마음을 고쳐먹은 상태다. 나는 무슨 일을 계획하거나 시작하려 할 때 제일 많이 필요한 것은 하고자 하는 의지라고 생각한다. 그 의지는 말로만 나오는 의지가 아니라 유혹에 빠졌을 때 견딜 수 있는 그런 의지이다. 나는 여태까지 그런 의지가 없어서 많은 실패를 경험했다. 2학년부터는 진짜 시작이기 때문에 마음을 독하게 먹고 1학년을 마무리하고 싶다.

내가 원하는 '희망'이 또 하나 있다. 바로 유럽을 여행해 보는 것이다. 나는 여태까지 유럽을 여행해 본 적이 없다. 다 가볼 수 없다면 잉글랜드, 네덜란드, 프랑스, 독일 등 유럽을 대표하는 나라들은 꼭 가보고 싶다. 우선 나는 유럽에 간다면 제일 먼저 축구 클럽이 있는 도시를 가보고 싶다. 거기서 유명한 축구선수의 실제 얼굴도 보고 잘하면 사인도 받을 수 있을 것이다. 정말로 유럽 여행을 간다면 1순위 목표를 축구로 정하고 가능하다면 축구만 보러 다닐 거다.
해외여행을 나 혼자 간다면 무엇이든 혼자 해내야 하기에 더 어려울 것이다. 그래서 그때를 위해 만반의 준비를 하고 갈 것이다. 갈 나라를 탐색하고 그 목표에 나무들을 심다 보면 나는 이 '희망'에 도달할 수 있을 거라고 믿는다.

이 두 가지가 지금 내가 제일 이루고 싶은 '희망'이다. 이것들을 이룬다면 미래의 내 목표에 나무를 한 그루 더 심는 것이다. 나의 미래가 부피에의 숲처럼 푸르고 아름다운 숲이 되기를 소망하며 하루하루 열심히 살아가려고 한다.

* * * * * *

지킬 앤 하이드

"지금까지 나는 언제나 악한 성격을 숨기고
착한 성격만 나타내려고 노력했다.
나의 악한 쪽인 하이드는 선한 쪽인 헨리 지킬보다
훨씬 몸집이 작고 약해졌다고 생각할 수 있지 않나?"

- 로버트 루이스 스티븐슨 -

<지킬 앤 하이드>는 인간이 가지고 있는 내면의 고통을 다룬 소설이다. 주인공 어터슨에게는 헨리 지킬 이라는 친구가 있었다. 지킬은 바르고 좋은 성품으로 소문난 신사였고, 유명한 과학자였다.
하지만 언젠가부터 지킬이 이상해지기 시작했다. 바로 하이드라는 지킬의 나쁜 자아가 태어난 것이다. 하이드는 평소 지킬이 하지 못했던 것을 하고, 심지어 사람을 죽이는 전혀 다른 모습을 가졌다. 하이드는 댄버스 커루라는 그 도시에서 존경받는 국회의원까지 죽여버렸다. 지킬의 마음속에 있던 나쁜 면이 악마의 유혹을 받고 깨어

나 버린 것이다. 그래서 지킬의 친한 친구이자 변호사인 어터슨이 지킬의 평소와 다른 이상행동을 감지하고 지킬을 도와주기 위해 나선다. 어터슨의 예상대로 지킬은 역시나 뭔가를 숨기고 있었고 어터슨은 이것을 풀어주기 위해 노력한다.

만약 세상에 지킬과 다르게 본인의 좋은 면과 좋지 않은 면을 조화롭게 잘 사용할 수 있는 사람이 나의 주위에 있다면 나는 그 사람과 가깝게 지낼 것이다. 하지만 나는 지금까지 인생을 살면서 그런 사람은 본 적이 없다. 아무리 인격이 바르고 좋은 사람이어도 실수할 때가 있고 일을 그르칠 때가 있다. 그것이 사람이다. 나는 완벽한 사람은 없다고 생각한다. 지킬처럼 남에게 잘 베풀고 훌륭한 성격을 가지고 있다고 해도 결국엔 하이드처럼 본인의 나쁜 면을 보이게 된다.
사람은 누구나 화를 낸다. 살다 보면 별의별 사람을 다 만난다. 정체를 알 수 없는 사람도 있고 범죄를 저지르는 사람도 있다. 사람은 누구나 위기에 처하거나 기분이 상하면 화를 낼 수 있다. 물론 그런 상황에서 잘 참을 수 있는 인격자도 있지만 누구나 화라는 감정을 느낀다. 그리고 가끔 그것을 터트린다. 지킬은 자기 엄마가 엄청나게 순해서 화내는 것을 본 적이 없었다고 했다. 하지만 언젠가 엄마가 폭발하는 것을 보았다고 했다. 이처럼 감정을 숨기고 무슨 생각을 하는지 알 수 없는 사람도 화를 낼 때가 있다. 자신의 나쁜 면을 숨기고 잘 참아도 결국에는 터진다. 자신의 좋은 면과 좋지 않은 면을 조화롭게 사용할 수 있는 사람은 그리 많지 않다고 생각한다. 하지만 우리는 모두 화를 잘 다루어내는 방법을 찾도록 노력해야 한다. 그리고 화는 참다가 폭발하는 것보다 평소에 잘 해소하며 사는 것이 더 좋은 것 같다. 화가 났을 때 심호흡을 하는 것도 좋은 방법이다. 완벽하게 잘 되지는 않지만 조금은 도움이 되는 것 같다. 또 화를 줄이고 잘 다룰 수 있으려면 내가 어떨 때 화가 나는지를 잘 지켜보는 것도 도움이 된다.

"난 숨을 곳이 필요했네. 답은 바로 보였어. 끔찍하게 따분한 사회의 기둥, 헨리 지킬 박사의 가면 뒤에 숨는 것보다 더 좋은 방법이 어디 있었겠나? 난 비커에 약을 가득 섞었네."

지킬은 본인의 불만을 해소하기 위해 위험한 약물을 복용했다. 부와 명예, 도덕성과 많은 능력을 지닌 엘리트에다 균형 잡힌 몸에 그럴듯한 외모까지 모든 것을 가진 것처럼 보이는 지킬이지만 내면은 완벽하지 못했다. 남들이 보기엔 존경받는 의사였지만 밤에는 방종하게 살아가는 자기 모습이 부담스러워지기까지 했다. '언제까지 내 체면만 지키면서 살아가야 하는가?' 지킬은 이런 생각을 많이 했다. 보이는 것만이 그 사람의 전부를 드러내는 것은 아니다. 드러나지 않는 부분까지 완벽한 사람이 있을 수 있을까?

“확실히 성실한 지킬 안에는 악보다는 선이 더 많았고, 방종한 지킬 안에는 분명히 선보다는 악이 더 많았어. 그들은 서로 혼합되어 있었네. 사람들은 나를 한 사람으로 보았지만 사실 나는 두 명이었어. 조금씩 서로 영향을 주고받으면서 섞여 있긴 했지만 악한 사람과 선한 사람이 동시에 들어 있는 것이었지. 만일 내가 어떤 식으로든, 악한 사람을 선한 사람으로부터 분리할 수 있다면, 내 안에서 악한 사람을 완전히 몰아낼 수 있을 거라는 생각이 들었네.”

자신의 실험에 자신이 있었던 지킬은 자기 몸에다 스스로 실험하면서 자기 안에 있는 악한 사람은 스스로 물리칠 수 있다고 생각했다. 그런 지킬의 생각도 아주 조금은 이해가 되었다. 자기 삶에 불만이 전혀 없는 사람이 있을까? 종종 게으르고 부정적으로 생각하게 되는 나와 긍정적으로 살고 싶은 내가 자주 다투곤 한다. 그럴 때마다 어떤 내가 진짜 나인지 헷갈릴 때도 있다.

나는 학생이니까 공부하느라 원하는 것을 못 할 때가 많다. 그리고 그 생각들은 불만이 되어 점점 커진다. 공부는 학생의 의무지만, 학생들은 학교생활과 공부 때문에 엄청난 스트레스를 많이 받는다. 우리나라는 세계에서 청소년 자살률이 높은 나라에 속한다. 그 원인 중에서 학업 스트레스는 상당한 부분을 차지한다고 생각한다. 공부는 사회생활을 하기 위해서 꼭 필요하다. 하지만 나는 우리나라가 학구열이 뛰어난 것은 좋은데 너무 공부를 많이 시키는 것이 문제라고 생각한다. 내가 공부하면서 힘든 이유는 공부 자체가 아니라 해야 할 공부의 양이 너무 많아서이다.

살면서 품게 되는 불만 중에는 사람에 대한 불만도 많은 것 같다. 다른 사람이 나에 대해 생각하는 불만은 바로 감정을 잘 주체하지 못한다는 것이다. 나는 5, 6학년 때 항상 화가 나 있었다. 지금 생각하면 내가 정말 왜 그랬는지 이해할 수 없다. 누군가 조금이라도 뭐라고 하거나 시비를 걸면 바로 화를 냈다. 그리고 싸움도 아니고 단순한 토론에서도 나는 의견이 안 맞는 사람에게 무조건 내 생각을 주입하려고 화부터 낸적이 있다. 그런 좋지 않은 성격이 나에 대한 이미지를 추락시켰다. 나의 성격은 6학년까지 이어졌고 나는 성격 안 좋은 애로 소문이 나버렸다. 그때는 정말 억울했지만 그래도 내가 한 일이기 때문에 반성했다. 나는 친구들이 많이 지원하지 않은 중학교로 갔다. 그리고 다시 한번 내 초등학교 생활을 돌아보면서 중학교 생활을 시작했다.
내가 생각했을 때 중학교 생활은 초등학교 생활보다 훨씬 어렵다고 생각한다. 우선 애들이 너무 못됐다. 나로서는 도저히 상상할 수 없던 행동이나 말들을 하고 있었고, 성적인 발언을 하거나 대놓고 따돌리는 등 내가 초등학교에서 봐왔던 아이들과는 차원이 다른 아이들이었다. 그리고 나는 이런 생각을 했다. '초등학교 아이들은 나를 이렇게 생각했겠구나.' 하는 생각이 계속 맴돌면서 더욱 자괴감이 들고 심지어 초등학교 친구들에게 미안해지기 시작했다. 착하고 예의 바르고 성공한 지킬 박사의 내면에도 숨기고 싶었던 악의 마음이 있었던 것처럼 우리 안에는 우리가 알지 못하는 또 다른 모습의 내가 살고 있는지도 모른다. 어릴 때는 잘 모르다가 청소년이 되면서 자기 안에 숨어있던 모습들이 마치 지킬이 하이드로 변신한 것처럼 친구들에게도 드러나는 것 같다.

그렇다고 해도 나는 지킬의 선택이 현명하다고 생각하지 않는다. 아무리 지킬이 나쁜 마음이 아닌 실험적인 마음으로 벌인 일이라 해도 결과적으로 하이드는 많은 사람을 죽였다. 내 생각에는 아무리 불만이 쌓이고 인내심의 한계가 다가오더라도 그런 위험한 모험은 하지 않는 것이 좋다고 생각한다. 안정적이지 못한 선택은 좋은 결과를 불러올 수도 있지만 대부분 안 좋은 영향을 끼친다.
얼마 전, 내 친구가 게임에 50만 원 넘게 썼다는 것을 알게 되었다. 아깝지 않냐고 물었는데 친구는 아깝지 않다고 했다. 심지어 부모 돈도 아닌 자기 돈으로 한 것이라고 했다. 나는 최근에 3만 원을 게임에 쓴 적이 있는데, 지금 생각해도 아까워 죽을 것 같다. 내가 현질을 하기로 결심했던 그 선택도 지킬처럼 모험적인 선택이었다. 나는 곧 그 게임을 지울지도 모르는 상황에서 돈을 쓴 것이다. 재미있었지만, 게임으로 스트레스도 많이 받았기 때문이다. 하지만 내가 원하던 것을 얻자 마음이 달라졌다. 그때부터 나는 그 게임을 훨씬 더 열심히 많이 하기 시작했다. 그러나 이 선택은 나의 소중한 중학교 1학년 시간을 날려버리는 계기가 되었다. 그리고 지금 그 게임을 접은 나는 아직도 그때의 선택을 후회하고 있다. 한순간에 기쁨과 유혹을 이기지 못해 돈과 시간을 날렸기 때문이다.
나는 앞으로 위험하고 모험적인 선택보다는 안정적인 선택을 할 것이다. 참지 못하고 순간적으로 했던 선택으로 지킬도 결국엔 죽음이라는 피해를 보았고 나도 3만 원을 날렸다. 나중을 위해 유혹을 참아내면 결과적으로 훨씬 덜 고통스럽다. 무슨 일이든 과한 것은 좋지 않다. 스트레스를 풀기 위해 자극적이고 모험적인 선택을 하는 사람이 많지만 거기서 오는 유혹은 끝이 없다. 그러니 평소에 스트레스를 쌓아두지 않도록 노력하고 자신의 충동을 잘 절제하는 것이 무엇보다 중요하다.

이야기 속에는 지킬의 친구인 어터슨이라는 사람이 나온다. 어터슨은 위기에 빠진 지킬을 구하기 위해 온갖 노력을 다한다. 어터슨은 직접 지킬을 찾아가기도 하고 용감하게 하이드와 만나 이야기를 나누기도 한다.

"여보게 만일 그렇다면 나한테는 말해줘도 되지 않겠나? 내가 어느 누구보다도 비밀을 잘 지킨다는 사실을 자네도 알지 않는가? 혹시

아나? 나에게 말해 주면, 자네가 그자에게서 벗어나도록 도와줄 수 있을지…….”

만약 내 친구가 지킬처럼 위험에 처해있으면 나는 도와줄 수 있을까? 어터슨처럼 목숨을 걸어서까지는 아니더라도 최대한 내가 할 수 있는 만큼은 도움을 줄 것이다. 그렇게 하면 그 친구는 내 도움을 받고 서로 믿을 수 있는 사이가 될 것이다. 어려운 일에도 망설이지 않고 도와줄 수 있고, 서로 실수를 하더라도 너그럽게 용서해 줄 만큼 좋은 인간관계를 형성할 수 있을 것이다.
반대로 내가 위기에 빠졌을 때 나를 도와줄 친구가 있을까? 내가 도움이 필요한 상황은 반드시 올 것이다. 하지만 평소 사람들과 좋은 관계를 쌓아오지 않으면 위기 상황에도 내 손을 들어주는 사람이 없을 것이다. 내가 좋아하지 않는 사람에겐 도움을 주기 싫듯이 상대방도 마찬가지이다. 하지만 어터슨과 지킬처럼 평소에 서로에게 친절하고 가깝게 지낸다면 언제든 서로를 위해 도움을 줄 수 있을 것이다.
죽을 때까지 서로 좋은 관계를 유지한 할아버지들의 이야기를 방송에서 본 적이 있다. 할아버지들은 분명 평생을 서로를 믿어주고 도와주고 챙겨주었을 것이다. 물론 ‘내가 과연 이 친구와 계속 연을 이어갈 수 있을까?’하는 생각이 든 적도 있었을지 모른다. 가끔은 서로가 미울 때도 있었을 거고 상대에게 화가 날 때도 있었을 것이다.

하지만 결국 믿음을 계속 쌓고 또 쌓으면 그런 위기들을 잘 넘기고 더욱 잘 지내게 된다. 나도 그런 친구를 꼭 만들고 싶다.

살다 보면 어떤 결정을 해야 하는 상황이 온다. 말 한마디를 뱉는 것도 결정의 한 부분이다. 이것은 단순하게 생각할 수 있지만 말을 뱉는 것도 누군가에겐 엄청난 치유를, 누군가에겐 엄청난 상처를 줄 수 있다. 따라서 말을 한마디 하는 것도 신중히 고민해서 해야 한다. 행동 또한 마찬가지다. 행동은 말과 비슷하지만 상대방에게 더 큰 인상을 주어 말보다 더 무겁게 해야 한다. 내가 만약 화가 났을 때, 나를 화나게 한 사람에게 어떤 반응을 보일지 생각을 하고 해야 한다. 감정이 주체가 안 되는 상황에서는 어려울 수 있지만, 조절하는 능력을 기르면 사람들과 갈등을 빚을 일이 줄어들고 현명한 판단으로 본인의 인격과 정신건강에도 영향을 미칠 수 있다. 화가 났다고 해서 무작정 사람을 때리거나 험한 말로 맞받아치면 똑같은 사람이 되는 것이다. 그러니 화가 날 때는 그 사람과 싸우지 말고 대화를 해야 한다. 그렇게 하면 싸움을 건 사람은 무안해질 거고, 서로 상황을 잘 해결할 수 있다. 화가 난 상황에서 감정을 조절하기는 매우 어렵지만, 내가 정말 터득하고 싶은 능력이다.

마지막으로 모험적인 선택을 할 때는 충동적으로 행동하지 말고 그에 따른 위험과 손해, 후회를 모두 고려해서 선택해야 한다. 한번 안 좋은 선택을 하고 나면 땅을 치고 후회해도 소용없다. 결단을 내릴 그때 꼭 다시 한번 생각하고 옳은 선택인지 판단해야 한다. 그리고 주위에 마약, 도박처럼 안 좋은 선택을 하는 사람이 있으면 꼭 말리고 빠져나오도록 잘 이끌어 주어야 한다.
나는 지킬처럼 아무리 힘든 상황이 와도 약물복용 같은 극단적이고 좋지 않은 선택은 하지 않을 것이다. 정말 고통스럽고 슬퍼도 주변 사람들과 같이 이겨내고 견딜 것이다. 이런 긍정적인 마인드는 인생을 살 때 정말 중요하다. 이런 마인드를 안고 살면 우울증이 와도 쉽게 이겨낼 수 있고 힘들고 마음에 상처를 입어도 금방 극복할 수 있을 것이다.

“악은 결코 저절로 사라지는 것이 아니었다. 없애도록 노력하는 것이다.”

앞으로 어떤 유혹이 와도 휘말리지 말고 자신을 힘들게 하는 내면의 두려움과 불만들을 알아차리면 된다. 이기적인 욕심은 매일 지워나가고 항상 긍정적으로 생각하면서 삶의 모든 부분을 조금씩 좋은 면으로 만들어 가면서 살아가는 지킬이 되었으면 좋겠다고 말하고 싶다.

* * *

장발장

"그만 갈 길을 가십시오.
부디 착하고 바르게 살면서
사랑을 베풀 줄 아는 사람이 되기를 바라겠습니다."

- 빅토르 위고 -

이 책은 '불쌍한 사람들'이라는 의미의 <레 미제라블> 중에서 주인공 장발장을 중심으로 장발장의 마음 변화와 세상에 대한 시각을 보여주는 이야기이다. 장발장은 당시 먹을 것이 너무 없는 가난한 생활을 하였는데 본인 입 채우기도 어려운데 누나의 자식들까지 모두 책임져야 했던 절망적인 상황에 놓여 있었다. 그래서 일자리를 알아보던 가게에 진열된 빵 한 조각이 눈에 들어왔다. 그리고 장발장은 본인도 모르게 창문을 부숴 그 빵을 훔쳤다. 그리고 잽싸게 도망쳤지만 결국 붙잡히고 말았다. 더 놀라운 것은 빵 한 조각 훔친 것으로 징역 5년을 선고받은 것이다.
그리고 출소가 1년 남았을 때 갑자기 장발장은 탈옥을 결심했다. 탈옥에는 성공했지만 얼마 뒤 붙잡혔고 형이 늘어났다. 그 후 장발장은 계속 탈옥을 시도하고 잡히고 시도하고 잡히고를 반복해서 결국 징역 19년을 살게 되었다. 장발장은 출소 후 세상에 대한 분노가 머리끝까지 차오른 상태였고, 전과자라는 이유로 번번이 거절당했다. 하지만 밀리에르라는 신부는 그를 차별 없이 대해주었다. 장발장은 다시 한번 나쁜 마음을 먹고 은그릇을 훔쳤지만, 밀리에르 신부는 용서하였다. 그 후로 장발장은 마들렌이라는 이름으로 개명하고 한 도시의 시장이 되어 선행을 베풀기 시작한다.
하지만 자베르라는 예리한 형사가 있었는데, 그는 마들렌으로 변장한 장발장을 처음부터 의심했다. 그리고 결국 그가 장발장인 것을 알아내고 끈질기게 그를 추적했다. 하지만 자베르는 훗날 장발장의 선행에 감동하고 스스로 생을 마감한다.
또 장발장은 병든 여인 팡틴의 딸 코제트까지 잘 보살핀다. 그리고 코제트의 결혼을 확인하고는 눈을 감는다.

내가 만약 장발장처럼 빵 한 조각 훔친 걸로 20년 동안 옥살이를 한다면 감옥에서도 아무 말도 안 하고 정말 조용히 살 것이다. 세상에 대한 분노의 칼을 갈면서 말이다. 그리고 감옥에서 나온다면 나오자마자 화가 너무 날 것 같다. 나는 왠지 장발장의 세상에 대한 증오가 이해될 것 같다. 억울하고 화가 나서 일도 손에 안 잡힐 것이고 만사가 귀찮아지면서 짜증이 늘 것 같다. 애초에 누나와 조카들을 도와주려고 벌인 일이기 때문에 그들에게 조금은 원망스러운 마음도 생길 것이다.

그래도 나는 다시 일어설 것이다. 힘들겠지만 마음을 다잡고 장발장처럼 신분을 숨기고 다시 일할 것이다. 그리고 이번에는 도둑질 같은 것은 하지 않고 성실하게 살 것이다. 어느 정도 생활이 안정되면 나는 누나와 조카들을 찾으려고 노력할 것이다. 그리고 지난 20년간 있었던 일을 모두 말하고 그들을 가난으로부터 구원해 줄 것이다. 힘든 일이지만 자베르를 설득하여 함께 선행을 베풀자고 제안할 것이다.

"나는 누구인가?"

장발장이 정신을 차리고 세상에 나가기 위해 마들렌으로 다시 태어나며 뱉은 말이다. 이 말은 장발장이 마음을 고쳐먹었다는 증거다. 아무리 긍정적으로 생각을 한다 해도 그렇게 힘든 상황을 극복하고 새로운 사람이 되려면 엄청난 정신력이 필요할 것 같다.

"비 조금 온다고 다치지 않아."

봉기 중에 에포닌이 했던 말이다. 살짝 피해를 보았어도 완전히 무너지지 않고 그 실수를 보완하면서 살아가면 된다. 장발장은 남들은 모두 주저앉고 넘어지는 상황에서 혼자 힘으로 극복하고 이겨내는 힘을 가지고 있다고 할 수 있다. 더군다나 젊은 피가 들끓는 청년 시절을 모두 감옥에서 보냈으니 몸도 마음도 지칠 대로 지쳤을 것이다. 그리고 어떤 때는 정신이 나가거나 나쁜 마음을 먹었을 수도 있다. 하지만 그 우울감과 분노, 억울함을 극복한 것을 넘어서 시장이라는 포용력과 인내가 필요한 큰 자리에 올랐다는 건 실로 경탄할 만한 일이다.

내가 장발장처럼 작은 잘못으로 20년이나 감옥에서 살다가 사회로 돌아온다면 정말 처참할 것이다. 빵만 봐도 트라우마가 떠오르고 억울한 생각에 잠도 잘 못 잘 것 같다. 분명 나쁜 짓이지만 누가 도둑질로 20년 감옥살이를 한단 말인가. 또 사람들과 대화를 안 하고 쉽게 다가가기 힘든 사람이 될 것이다. 의심도 많아질 것이고 남의 일에 별 감흥이 없어지고 대통령을 뽑든 국회의원을 뽑든 말든 아무런 관심도 없을 것이다. 특히나 사회에 관한 일이라면 더욱더 그렇지 않을까?
그런 절망적인 마음을 열고 선행으로 이어간 장발장이 존경스럽다. 대부분 회사는 보통 장발장 같은 전과자들을 고용하지 않을 것이다. 식사하러 들어간 가게에서 바로 퇴출당하는 것만 봐도 바로 알 수 있다. 아무리 뛰어나고 특별한 장점이 있어도 전과자라면 섣불리 다가가거나 친해지기 힘들 것 같다. 사람들의 인식은 쉽게 변하지 않기 때문이다.

우리 반에도 그런 친구가 있다. 상당히 재미있는 친구인데 학교폭력을 해서 아픈 친구 취급을 받는다. 비슷한 경우가 내 주위에 바로 있으니 나도 그렇게 되지 않도록 노력해야겠다.
만약 내가 형사라면 마들렌 시장이 장발장이라는 것을 알았을 때 가만히 있을 것이다. 장발장을 붙잡아도 어차피 다시 탈옥할 것이고 지금 장발장은 세상에 공헌하며 살고 있으니 충분히 감옥에서 나와도 될 만큼 선행을 한 것 같다. 따라서 장발장을 지켜보긴 하겠지만 실제 자베르처럼 끝까지 추격하지는 않을 것이다.

장발장은 언제나 자베르보다 한 수 위다. 자베르가 계속 턱밑까지 추격해도 결국은 남모르게 도망쳤다. 그를 잡기 위해 노력하는 것도 헛수고일 뿐이다. 장발장은 억울하게 20년을 감옥에서 보낸 것이기 때문에 충분히 죗값을 치렀다고 생각한다. 따라서 내가 자베르라면 장발장과 멀어지기보다는 친해지고 가까워지기 위해 노력할 것이다. 그리고 장발장이 위기에 처하면 도와줄 것이다.
장발장은 사회에 대한 분노를 엄청난 선행으로 풀었다. 나라면 그럴 수 있을까? 나는 누군가와 계속 서로를 욕하면서 경쟁하는 것을 좋아하지 않는다. 시장이 되려면 선거에서 당선돼야 하기 때문에 다른 후보와 경쟁해야 한다. 또 나는 리더십이 없는 편이고, 어떤 상황에서 나를 우선으로 생각하는 이기적인 면이 있다. 그래서 결단력과 포용력, 너그러운 마음이 필요한 시장은 나에게 전혀 맞지 않는다.

나에게는 딱히 특별한 재능이 없다. 공부도 보통, 운동도 보통, 심지어 감정을 조절하고 상황에 맞게 행동하는 센스도 딱히 없다. 하지만 나는 그중에서도 내가 잘하는 일을 찾을 것이고 그 일을 열심히 해 성공하려고 노력할 것이다. 그리고 그 일에서 내가 얻은 재산을 기부하고 자선을 많이 베풀 것이다. 내가 장발장이었어도 계속 탈옥을 감행했을지도 모른다. 그러나 빵을 훔친 나의 잘못을 반성하고 사회에 대한 분노를 기부와 자선으로 잠재울 것이다. 사회에 화가 났다고 똑같이 범죄를 저지르거나 그것에 대해 뒤끝 있게 계속 가지고 있는 것은 좋지 않은 방법이다. 그것을 좋은 마음, 너그러운 마음으로 천천히 푸는 것이 제일 어렵지만 제일 바람직한 방법이다. 그런 방법을 통해 감정 조절 방법을 몸에 익히고 훨씬 더 건강하게 살 수 있다.
나는 조절이 잘 안된다는 말을 많이 듣는다. 그래서 그것을 계속 생각하고 화가 날 때 그런 말들을 떠올리며 참아낸다. 그렇게 화난 마음을 오히려 좋은 방법으로 해결하면 양심의 가책도 느끼지 않고 어려운 일을 해냈다는 성취감까지 느낄 수 있다.

내가 만약 시장이 된다면 어떤 일을 할까? 우선 내가 맡은 그 도시에 사람들의 경제 상황을 살필 것이다. 그리고 그 도시가 잘 사는 도시라면 그런 상황을 계속 유지하도록 만들고 회사와 공장들이 문을 닫지 않도록 계속 지원해 줄 것이다. 그러나 우리 도시가 가난한 도시라면 우선 최저소득을 올려서 노동자들의 수익을 늘려주고 회사와 공장에는 추가 지원을 하고 외국과 교류를 활발하게 해 회사 측도 돈을 잘 벌 수 있도록 만들어 주고 싶다. 그렇게 우리 도시에 활력을 불어넣고 자선도 많이 베푸는 좋은 시장이 되도록 노력할 것이다. 처음엔 나에겐 전혀 맞지 않는 자리라고 생각했지만, 시장이 되어보는 것도 괜찮은 선택인 것 같다. 나중에 시장 선거에 투표할 때도 신중하게 투표하고 좋은 시장을 뽑아야겠다.

만약 장발장이 가난하지 않았다면 어떻게 되었을까? 장발장이 감옥에 들어간 이유부터 장발장의 성격을 바로 알 수 있다. 장발장은 누나와 조카들을 도와주기 위해 빵을 훔친 것이다. 도둑질을 한 것은 잘못이지만 그 목적이 선행을 하기 위해서이기 때문에 장발장의 마음은 선하다는 것을 알 수 있다. 따라서 장발장이 가난하지 않았다면 누나와 조카들의 건강과 미래를 위해 엄청나게 노력했을 것 같다. 그리고 시장처럼 책임감이 필요한 일도 더 잘 해낼 것 같다.

장발장은 힘이 엄청나게 센 사람으로 나오는데 돈도 있고 힘도 세고 마음조차 선한 장발장이라면 따뜻한 리더십을 발휘해서 존경받는 사람으로 살았을 것 같다.

우리는 대부분 하고 싶은 것을 하고 먹고 싶은 것을 먹고 편안하게 잘 수 있다. 하지만 이것은 절대 당연한 일이 아니다. 우리도 어쩌면 아프리카에 사는 가난한 사람들처럼 흙탕물을 마시면서 살아갔을지도 모른다. 우리를 편안하게 살게 해주신 부모에게 감사해야 하며 나중에 우리가 그렇게 될 수 있도록 열심히 공부해야 한다.
또한 자신의 처지에 만족하고 과도한 욕심을 부리는 것은 안 된다. 강한 사람은 약한 사람을 도와주고 약한 사람은 강해져서 다시 본인보다 약한 사람을 도와주는 것. 이것은 우리가 마땅히 지키면서 살아가야 하는 중요한 이치이다. 나는 이것을 반드시 마음속에 품고 살아갈 것이다.

장발장은 세상에 대한 본인의 분노를 오히려 선행으로 풀었다. 장발장처럼은 못하겠지만, 나도 누군가에게 화가 났을 때 싸우기보다는 더 품어주고 앞으로 더 잘 지낼 수 있는 방법을 찾아보겠다. 그렇게 좋은 인간관계를 형성하고 좋은 인격을 만들어 가고 싶다.

박시호

* * *

* * *

마틸다

"저도 여기서 선생님과 함께 살고 싶어요."

\- 로알드 달 -

마틸다는 우리가 생각하는 평범한 가정환경에서 자라지 못했다. 그녀의 아버지 해리 웜우드는 차량 번호판 바꿔치기, 차에 엔진 오일 대신 톱밥을 넣고 전동 드릴로 주행 거리를 조작하는 등 정상적이지 않은 방법으로 많은 돈을 번 사기꾼이었다. 그녀의 엄마 지니아 웜우드는 그나마 아빠보다는 성격이 낫지만 사실 별로 다를 바 없다. 빙고 놀이와 드라마에 정신이 팔려 다섯 살인 마틸다를 거의 방치하다시피 한다. 그녀의 오빠 마이클 웜우드는 그녀의 비정상적인 부모와 달리 지극히 평범한 아이다. 마이클 역시 잘하는 것이 많고

뭐든지 평균 이상 하는 아이지만 마틸다 같은 천재 앞에서는 한없이 작아진다. 하지만 남매 사이는 별 갈등이 없다. 마틸다는 재능이 많은 신동임에도 불구하고 부모의 사랑을 받지 못했다. 마틸다의 부모는 마이클만 매우 애지중지하며 대놓고 차별했다.
지금 우리가 살고 있는 가정환경은 절대 당연한 것이 아니다. 따뜻하게 입고, 먹고 싶은 대로 먹고 편안한 곳에서 자는 것은 부모의 피나는 노력이 만들어낸 소중한 결과물이다. 우리도 태어날 아이들을 위해 부모들이 한 것처럼 열심히 노력해 미래를 이어가야 한다.

마틸다는 초능력을 가지고 있었는데 그런 부모에 대한 복수로 마틸다는 학교에서 초강력 접착제 소동, 유령 소동, 머리 염색 소동을 벌인다. 나라면 부모에 대한 원한과 억울함을 학교에서 풀 것 같다. 학교에서 재밌는 활동을 하면서 그런 기억을 다 잊고 웬만하면 집에 늦게 들어갈 것이다. 그리고 집을 밥만 먹고 잠만 자는 용도로 쓰게 될 것 같다. 나는 나와 안 맞는 사람은 바로 관계를 끊는 성격이라 부모가 그러면 정말 말하기도 싫어지고 보기도 싫을 것이다. 뉴스를 보면 부모에게 아동학대를 당해 죽거나 큰 고통을 겪는 아이들의 이야기가 많이 나오는데 부모가 그러면 그 누구에게보다 큰 상처를 받을 것 같다. 좋은 부모에게서 태어났다는 것은 정말 행운이다.

박시호

* * *

내가 만약 마틸다라면 어떻게 할까? 우선 부모에게 진지하게 마이클과 차별하지 말아 달라고 부탁할 것이다. 최대한 덜 과격한 방법으로 그 부모를 달라지게 만들고 내 할 일에 집중할 것이다. 하지만 그래도 그들이 달라지지 않는다면 나도 포기하게 될 수도 있다. 그러니까 평화적인 방법을 포기한다는 말이다. 부모가 나에게 관심이 없듯이 나도 그들에게 관심을 주지 않을 것이며 학교 선생님이나 아는 어른에게 도움을 요청할 것이다. 내가 하고 싶은 것을 하고, 다른 사람들을 만나고, 도서관에 자주 가서 책을 읽거나 공부할 것이다. 부모가 도움을 주지 않는다고 해서 내 인생을 포기할 순 없다. 내 힘으로라도 공부는 해야 한다.
뉴스에서 가난하거나 부모에게 문제가 있어서 공부를 제대로 할 환경이 아니었는데도 열심히 노력해서 좋은 대학에 간 사람들을 본 적이 있다. 그러려면 대단한 정신력과 강한 마음을 가지고 있어야 한다. 그런 사람들의 정신력과 강한 마음을 본받고 어려운 일이 생겼을 때 떠올리면서 견뎌 내야겠다는 생각이 들었다. 살아가다 보면 분명히 힘든 일과 슬프고 괴로운 일이 생길 것이다. 하지만 평소에 강한 의지를 가질 수 있도록 노력한다면 분명 그 의지가 나를 괴로운 일에서 지켜줄 것이다.

그럼 주위에 마틸다처럼 좋지 않은 가정환경에 속해 있는 친구가 있다면 어떻게 해야 할까? 그런 친구가 있다면 나는 친한 친구가 아니어도 먼저 다가가고 그 친구의 고민을 들어줄 것이다. 가정에서 불행한데, 학교에서라도 웃을 수 없다면 그 친구의 마음은 영원히 닫히고 말 것이다. 그래서 나는 너무 늦기 전에 그 친구를 도와주고 선생님에게 말씀드려서 상담이나 사회성 교육 등 필요한 일을 할 수 있게 해줄 것이다. 나는 사람을 돕는 것에 별로 익숙하지 않다. 도움을 준 경험이 거의 없을 뿐만 아니라 주위에 내가 도울 만한 위기에 처한 사람이 없었기 때문이다. 하지만 이렇게 가정 폭력을 당하고 있는 친구가 있다면 망설이지 않고 도와줄 것이다.

마틸다는 집에서 받은 분노와 설움을 학교에서 재미있는 일을 하면서 풀려고 했다. 하지만 그것은 헛된 꿈일 뿐이었다. 바로 마틸다의 학교의 교장 트런처블 때문이었다. 트런처블 교장은 우리가 생각하는 존경스러운 이미지의 교장이 전혀 아니었다. 그는 본인의 마음에 안 들면 여학생이든 남학생이든 전부 때리고 괴롭히는 대놓고 학생들에게 폭력을 행사하는 여자 교장이었다. 마틸다는 집에서도 불만과 화가 이만저만이 아닌데 학교의 총책임자가 정상이 아니니 더욱 화가 나기 시작했다. 트런처블 교장은 부모들에게도 소문이 자자한 인물이었다. 하지만 그 누구도 교장에게 함부로 도전하지는 않았다. 교장은 엄청난 권력을 가지고 있었기 때문이다. 아무리 학생들 때리고 못살게 굴어도 교장은 함부로 할 수가 없었다.
그런 교장 선생님이 있다면 정말 그 학교는 제대로 돌아갈 수 없을 것 같다. 모든 일에 있어서 대장이나 리더가 정말 중요하듯이 학교에서도 교장이라는 위치는 제일 중요하고 할 일이 많은 막중한 직업이다. 교장이라면 모든 학생을 다 이해하려고 노력하고 바른길로 인도해야 한다. 기본적으로 갖추어야 할 도덕성마저도 없는 트런처블은 교장으로서, 인간으로서 하지 말아야 하는 일들을 해버린 것이다. 소설이 아닌 현실에서는 아이들을 잘 키워낼 수 있도록 좋은 교장 선생님들이 많아졌으면 좋겠다.

다행히도 마틸다에게는 미스 허니라는 좋은 담임 선생님이 있었다. 마틸다는 어쩌다가 선생님의 집을 방문하게 된다. 그리고 그곳에서 마틸다는 선생님의 슬픈 비밀을 알아내게 된다. 선생님은 학교에서 주는 음식 외에는 다른 음식을 전혀 먹지 않았다. 아니 못 먹었다. 선생님은 미스 트런처블의 조카이다. 선생님은 아버지가 돌아가신 후 모든 재산을 트런처블이 가져가고 학대받으며 자라왔다고 했다. 주위에 허니 선생님 같은 분이 있다면 어떻게 해야 할까? 우선 나는 부모에게 그 사실을 알리고 선생님이 도움을 받을 수 있도록 할 것이다. 그리고 트런처블 교장이 한 나쁜 행동을 똑바로 고쳐놓을 수 있게 뭐라도 할 것이다. 조금이나마 선생님에게 도움이 되도록 노력할 것이다.
마틸다는 본인도 학대받으면서 커왔기 때문에 선생님의 마음을 더 잘 이해했을 것 같다. 평소 선생님의 말에 주의를 더 기울이고 선생님의 기분을 살펴 가면서 우울해 보일 때는 농담을 기분이 좋을 때는 계속 유지할 수 있게 만들 것이다. 어른이 되어서도 선생님을 잊지 않고 가끔 만나러 가기도 하고 안부도 물으면서 지낼 것이다. 선생님이 가르친 제자 중 정말 자랑스러운 제자가 될 수 있도록 꾸준히 노력할 것이다.
지금까지 허니 선생님 같은 다정한 선생님은 본 적이 없다. 나도 허니 선생님처럼 힘들어도 내색하지 않고 친절하고 훌륭한 선생님을 만나봤으면 좋겠다.

마틸다는 무엇이든 마음대로 움직이게 할 수 있는 초능력을 가지고 있었다. 그 능력으로 마틸다는 자신을 무시하고 괴롭혔던 자들에게 복수극을 펼치는데, 첫째로 아빠 해리 웜우드가 자주 사용하는 모자에 접착제를 발라서 머리와 붙여버린다. 이것으로 해리 웜우드는 이틀 동안 모자를 붙이고 지내야 했다. 그리고 마틸다는 트런처블 교장에게도 여러 가지 장난을 쳤다.

과연 내가 초능력이 있다면 어떻게 쓸까? 나는 나의 능력을 나에게 정말로 유용하고 도움이 되는 일에 능력을 사용할 것이다. 그리고 웬만하면 주변 사람들에게 들키지 않게 사용할 것이다. 나는 다른 사람의 마음을 읽는 능력을 얻고 싶다. 상대방의 실제 속마음을 읽으면 그 사람과 싸워도 쉽게 풀 수 있을 것이다. 나와 다투고 있는 사람이 속마음은 그걸 의도한 것이 아닐 수도 있기 때문이다. 그리고 이 능력은 여러모로 유용할 것이다. 예를 들어 어떤 사람의 취미나 취향, 이상형 등을 알게 되면 인간관계에도 도움이 될 것이고, 만약 경찰이라면 범인도 쉽게 찾을 수 있을 것이다.
마틸다의 복수는 통쾌했지만, 복수를 위해 초능력을 쓰는 것이 좋은 일일까? 복수 자체는 좋은 것이 아니지만 마틸다처럼 문제가 있는 사람을 정신 차리게 만들어 주는 용도로 사용하면 괜찮을 것이다. 마틸다처럼 불운한 아이에게는 그런 초능력이 주어지는 것도 좋을 것 같다. 그래서 그 아이가 악인들이 들끓는 이 세상을 바꿔 가는 정의 구현을 실현한다면 그 아이는 마땅히 초능력을 받을 자격이 있다고 생각한다.

한 번 더 강조하는데 좋은 부모에게서 태어났다는 것은 정말 행운이다. 마틸다의 부모처럼 나쁜 부모도 정말 많다. 이상한 고정관념과 편견이 있는 부모, 다혈질 부모, 무관심 부모 등 별의별 어른들이 다 있다. 하지만 우리를 잘 교육하고 올바른 길로 인도해 주는 좋은 부모도 이다. 나도 우리 부모에게서 태어나 정말 영광인 것 같다. 우리는 부모에게 받은 것에 보답하고, 또 자손에게 잘 전달하면서 살아가야 한다. 우리가 부모에게 하는 것은 부모가 우리에게 해주는 것에 절반도 못 미친다. 그만큼 부모의 사랑은 엄청나다. 나도 부모의 기대와 노력에 부응하도록 열심히 공부하고 좋은 인격을 가진 어른이 되고 싶다.

살면서 누구나 반드시 어려운 상황이 온다. 아무리 감정을 드러내지 않고 차분한 사람이라도 감정을 느끼지 않는 것은 아니다. 인간이라면 누구나 기쁨과 슬픔이라는 두 가지 감정을 느낀다. 집에서 마틸다는 거의 매일 슬프고 화가 났을 것 같다. 하지만 화난 내색하지 않고 천천히 희망을 찾으며 마음의 안정을 이뤄나가면 제일 어려운 본인과의 싸움에서 이길 수 있다. 하루하루 마음의 능력을 길러나가면 감정의 한계를 점점 높이고 흠잡을 데 없는 인격자가 될 수 있다.
아무리 노력해도 울고 싶고 외로운 상황이 올 수도 있다. 하지만 평소 마음가짐을 단단하게 해두면 쉽게 슬럼프와 우울감에서 빠져나올 수 있고 훨씬 더 건강하게 살 수 있다.

“저는 여기서 선생님과 함께 살고 싶어요. 제발 여기서 선생님과 살게 해 주세요.”

나는 마틸다의 상황 대처 방법과 평소 자신을 대하는 마음가짐을 배워야겠다는 생각이 들었다. 그리고 마틸다의 용기를 응원한다.

작가 후기

나는 이번 네 개의 독후감을 쓰면서 다시 한번 깨달았다. 내가 대한민국에 있는 우리 집에서 이 시대에 태어난 것은 정말 행운이라는 것을 말이다. 내가 읽은 소설 속에 나오는 주인공들은 엄청난 노력과 강한 의지로 자신의 불행을 극복했다.

그동안 독후감 수업을 하면서 나는 내가 성장하고 있다는 것을 알았다. 불과 몇 달 전에 썼던 글과 이번에 쓴 글을 비교해 보니 글의 수준이 눈에 띄게 상승한 것이다. 그래서 그런 나의 상승세를 보면서 뿌듯함을 느꼈다. 사실 다른 할 일을 하는 것도 힘든데 글까지 쓰려니 처음엔 정말 막막하기도 했다. 하지만 마지막 글까지 쓰고 나서 다시 생각하니까 나름대로 성취감이 느껴졌다.
힘들 때마다 이런 기회는 다시는 오지 않는다고 생각하고 글을 썼던 것 같다. 다음에도 이런 일생일대의 찬스가 오면 반드시 잡고 내 것으로 만들 것이다.

네 개의 독후감을 다 쓰고 나니 그 사이에서도 나는 성장했음을 느낄 수 있다. 1번 글보다는 2번 글이, 2번 글보다는 3번 글이, 3번 글보다는 4번 글이 더 완성도가 높은 글인 것 같기 때문이다. 하지만 마음속의 내가 가장 재밌게 썼다고 생각되는 글은 세 번째 글인 <장발장>이었다. 제일 나에게 와닿았던 글이었고 내가 장발장처럼 될지도 모른다는 두려움도 있었다. 또 장발장이 코제트를 지켰던 것처럼 나도 위험에 처한 사람을 지켜줄 수 있을까 하는 의문도 들었다.

이 책들을 읽으면서 나는 힘든 상황이 오더라도 늘 긍정적인 생각으로 마음속에 희망을 품고 살아가야겠다는 생각이 들었다.

박시호

* * *

5

내가 그리는 미래의 나

세계를 건너
너에게 갈게

김주원

나는 바다 옆 시골에 사는 중학생이다. 개성보단 유행에 따라가려 하고, 익숙한 것들을 좋아하고 새로운 도전을 하려 하지 않는 편이다. 누군가가 언제나 펼쳐서 볼 수 있는 글을 쓰는 건 새로운 도전이었다. 이 새로운 도전을 좋은 경험으로 만들기 위해 노력 중이다.

파브르 곤충기

천 개의 파랑

비밀의 화원

세계를 건너 너에게 갈게

* * * * * *

파브르 곤충기

"들판은 우리가 보고 싶은 것들을 언제나 보여주었다."

- 장 앙리 파브르 -

"넌 꿈이 뭐야?"

대답할 말이 생각나지 않았다. 어릴 때 나의 꿈엔 제한이 없었다. 한 번은 학자이자 운동가인 '제인 구달'의 이야기를 담은 만화책을 보곤 푹 빠져서 탐험가가 되어 아마존에서 사는 게 내 꿈이었다. 또 친구가 내 그림을 보고 잘 그렸다고 칭찬했을 때는 유명한 화가가 되고 싶었다. 매일 여행만 다니고 싶은데 여행가는 어떨까? 아니면 우주비행사가 되어서 달에 가볼까? 고민하기도 했다. 그냥 그때의 내가 좋아하고, 재미있어했던 것이 내 꿈이었다.

어릴 때 우연히 꿈에 관한 김수영 작가의 책을 읽은 적이 있다.

“살다 보면 힘들 때도 많지만 꿈이 있으면 이겨낼 수 있어. 하지만 삶의 목표가 없다면 마냥 헤매고 여기저기 휩쓸려 다니게 되거든. 꿈이 있다는 것은 인생의 목적지가 생기는 거야.”

나는 이 글을 읽고, 꿈이 생겨서 세상으로 나아갈 내 모습이 멋있을 것이라고 상상했다. 그런데 지금 열다섯 살의 나는 나의 꿈을 알 수 없어서 간단한 질문에도 대답하지 못하고 있다.

내 친구 중에 춤을 잘 추는 친구가 있다. 그 친구는 예술고등학교에 가고 싶어서 학원에 다니며 열심히 준비한다. 또 어릴 때부터 군인이 되고 싶었던 한 친구는 체육에서만은 모두 만점을 받으려고 엄청나게 노력한다. 주변엔 확고한 목표와 꿈이 있는 친구들뿐이다. 꿈을 위해 열심히 달려가는 친구들 사이에 나 혼자 멈춰있는 기분이 든다. 쉽게 생각났던 ‘내가 하고 싶은 것, 나의 꿈’이 이제 더 이상 생각나지 않는다.

어른들은 중학교 2학년이면 꿈에 대해 진지하게 생각하라고 말한다. 그리고 좋은 대학교에 가고 좋은 회사에 취직하는 목표를 갖는 것이 당연하다는 듯이 말한다. 나는 어른들이 말하는 나의 목표와 꿈이 정말 내가 원하는 것인지는 모르겠다. 하지만 나는 '제 꿈은 그게 아니에요.'라고 말할 수도 없다. 그리고 '이건 내가 정말 잘해.'라고 자부할 수 있는 무언가가 있는 것도 아니다. 수학을 좋아하고 또 잘하는 친구, 운동을 잘하는 친구, 누구나 좋아할 만한 성격을 가진 친구 등 모두 특별한 무언가를 가지고 있다. 그런데 나는 특별하게 잘하는 게 있나? 친구는 두루두루 사귀는 편이긴 하지만 친구가 많은 편에 속하지도 않고, 운동신경도 평범한 정도이고, 성적도 특출나게 좋은 편은 아니다. 내 앞에는 '잘'이 아니라 '그럭저럭', '적당히', '평범하게' 이런 수식어가 붙어버린다. 나의 진로도 적성에 맞아야 내가 원하는 길을 갈 수 있을 텐데, 이런 나도 나에게 맞는 적성을 찾을 수 있을까?

완벽한 자기 적성을 찾은 사람으로 '장 앙리 파브르'가 떠오른다. 그는 곤충과 식물 연구에 평생을 바쳐서 30년 동안 무려 열 권의 곤충기를 완성했다. <파브르 곤충기>의 제1권을 읽어 본 후 나는 파브르의 끈기에 감탄했고, 자신의 흥미에 시간을 아낌없이 투자하는 모습이 멋있게 느껴졌다.

"들판은 우리가 보고 싶은 것들을 언제나 보여주었다."

파브르에게 들판은 묵묵히 자릴 지켜주고, 함께하면 즐거운 친구이자 모르는 것투성이지만 배움을 주는 교과서도 되었던 것 같다. 파브르에게는 들판이었던 것이, 나에게는 무엇일지 궁금해진다. 파브르는 자기 적성에 맞는 일을 완벽하게 찾았다. 그리고 내가 그에게 다시 한번 놀란 것은 적성을 찾은 것뿐만이 아니라 그 일에 전념하고, 노력했다는 것이다.

"파브르 곤충기는 '철학자처럼 사색하고, 예술가처럼 관찰하고, 시인처럼 느끼고 표현하는 위대한 과학자' 파브르의 평생 신념이 담긴 책이다."

이 책을 옮긴이의 말이다. 정말 파브르 곤충기는 곤충들의 관찰 기록뿐만이 아니라 파브르만의 개인적인 의견과 감정이 들어있었다. 그래서 책을 읽기만 하는데도 파브르가 이 일에 얼마나 열중이었는지 알 것 같았다.

파브르는 곤충학자이기 전에 교사였다. 그는 자신이 어떤 사람이 되어야 할지 알 수 없어서 일단 교사가 되었다고 했다. 하지만 교사가 된 이후에도 교사라는 직업에만 몰두하지 않고, 당시 교사의 급여가 매우 적었음에도 책과 실험 도구를 사 곤충을 연구하는 데에 부단한 노력을 하였다.

김주원

* * *

행복한 일을 찾기란 정말 어렵다는 생각이 든다. 지금 내 나이에 아직 내 꿈을 찾지 못한 것이 어쩌면 당연할지도 모르고, 일찍이 자신이 행복한 일을 찾은 친구들은 행운이 먼저 찾아온 건지도 모른다. 아직 나에게 행운이 찾아오지 않은 것이라면 나는 나에게 많은 기회라는 행운이 찾아왔으면 한다. 지금 나는 다른 친구들처럼 특별한 내 장점을 찾지도 못했고, 꿈을 정하지도 못했다. 하지만 나에게 더 많은 기회가 주어진다면 나는 그 기회를 놓치지 않기 위해 노력할 것이다. 내가 지금 알고 있는 것보다 더 많은 것을 알 기회, 더 새롭고 다양한 것을 볼 기회, 그리고 다양한 경험을 해 볼 기회들이 나에게 찾아온다면 내가 무엇을 잘하고 무엇을 하고 싶은지 알게 될 날이 더 앞당겨지지 않을까?

그럼 언젠가 나에게 찾아온 행운을 꽉 붙잡으려면 어떻게 해야 할까? 나에게 갑자기 기회가 와도 놓치지 않으려면 '용기'와 '대담함'이 필요하다고 생각한다. 새로운 도전을 하는 것은 언제나 큰 용기가 필요하고 때로는 힘이 들기도 할 것이다. 나는 무언가를 새로 시작하는 힘, 처음으로 용기를 내는 순간이 중요하다고 생각한다.

처음으로 다이빙에 도전했을 때가 떠오른다. 나는 처음에 물속으로 뛰어들기가 겁났다. 물속은 깊어서 안이 보이지 않았고, 뛰어내리는 것도 무서웠기 때문이다. 하지만 처음으로 물속으로 들어가 본 후에는 겁이 나지 않았다. 그 후엔 물속이 무섭게 느껴지지 않아서 더 여러 번 뛰어내렸다. 새로운 도전에 용기를 내는 것도 마찬가지다. 처음으로 용기를 내는 힘이 중요한 것 같다. 앞으로 나에게 주어진 기회엔 무작정 용기를 내 볼 것이다.

문득 궁금해진 것이 있다. 우리 엄마, 아빠의 꿈은 무엇이었을까? 그들도 지금의 나처럼 진로를 고민했던 시절이 있었을 것이다. 우리 아빠는 지금 회사원이다. 아빠에게 회사원이 되기 전 꿈이 뭐냐고 물었을 때 아빠는 선생님이 되고 싶었다고 했다. 그래서 다시 물었다.

"그런데 왜 아빠는 회사원이 된 거야?"

아빠는 현실적으로 이 직업이 더 안정적인 수입이 있어서라고 했다. 그리고 아빠한테 아빠가 직업을 고를 때의 우선순위를 물어보았다. 아빠는 1순위로 안정적인 수입을 뽑았다. 그럼 나의 직업을 정하는 우선순위, 기준은 무엇일까? 나는 우선순위 1위를 '나의 행복'으로 정하고 싶다. 돈을 많이 가지고 있다면 행복한 것일까? 그렇다면 부자들은 모두 행복할까? 또 행복은 돈으로 살 수 있는 것일까? 나는 아니라고 생각한다. 전에 나는 돈이 있어야 행복할 거라고 생각했다. 돈으로 살 수 있는 물건들, 경험들이 행복의 전부라고 생각했기 때문이다. 하지만 세상엔 돈으로 살 수 없는 것이 많이 있었다. 그 중엔 대표적으로 우정, 인간관계, 사랑 등이 있다. 이것들은 모두 사람들이 행복해지려면 빠질 수 없는 것들이다. 그래서 돈이 많은 것보다 행복이 더 중요하다고 생각했다. 내가 고른 직업에 안정적인 수입은 있지만, 내가 하고 싶은 일이 아니라면 아마 나는 내가 고른 직업에 대한 만족감을 느끼지 못할 것 같다. 직업의 인지도나 경제적인 수입도 물론 중요하겠지만, 내가 그 직업을 가지고 행복을 느낄 수 없다면 모두 소용없을 것 같다.

그런데 내가 행복을 느낄 수 있는 직업이 사라져 버리면 어떡할까? 급속도로 발전하는 기술에 많은 것이 인간 대신 로봇, 인공지능 그리고 과학기술로 대체되고 있다. 인공지능, 로봇, 가상현실은 요즘 흔하게 들리는 단어들이다. 몇 년 전만 해도 생각도 해보지 못한 과학기술이 뉴스에 보이곤 한다. 기술이 발전하는 속도는 점점 빨라진다. 발전하는 기술에 맞춰 변한 미래의 모습은 어떨까? 우리가 일상생활에서 사용하는 배달앱이나 키오스크, 온라인 쇼핑몰 같은 것들이 더 발전하고 풍부해진다고 생각해 보면, 우리가 상상할 수 있는 것 그 이상으로 미래의 세상이 달라져 있지 않을까?

미래엔 지금 과학기술이 우리의 삶을 차지하고 있는 것들보다 더 많은 양을 차지할 것이다. 지금도 핸드폰, 인터넷 쇼핑몰, 유튜브나

인스타그램 같은 SNS 없이 사는 삶은 상상할 수 없다. 이미 과학기술은 우리의 일상에 많은 영향을 미친다. 미래엔 과학기술이 우리의 삶을 차지하는 비중이 더 많아질 것이다. 또한 로봇이 인간의 직업의 대부분을 대신할 것 같다는 생각이 든다. 지금 로봇과 인공지능은 기술만을 우리를 대신하는 게 아닌 그림, 글, 노래와 같은 창작이 필요한 기술까지 대신할 수 있게 됐다. 심지어 나는 인공지능으로 어떤 가수가 그 노래를 부르지 않았는데도 가수의 목소리를 분석해서 가수가 직접 부른 것처럼 노래를 재생하는 영상도 본 적이 있다. 정말 몇 년 전만 해도 생각해 보지 못할 만한 기술이었다. 그리고 식당에 갔는데, 음식 주문은 키오스크를 이용했고, 음식은 로봇이 가져다주었다. 사람들이 없어졌다. 물론 로봇이 이런 일을 대신하게 되면 위험한 사고로 사람이 죽는 일은 줄어들 것이다. 위험한 일은 로봇이 인간을 대신할 것이기 때문이다.

하지만 로봇이 인간의 일을 하는 데에도 문제점이 있다. 예를 들어 자율주행 택시가 만들어진다면 택시 운전기사는 없어질 것이다. 그뿐만 아니라 공장 곳곳에 인간의 노동력이 사라질 것이다. 로봇이 우리의 직업을 가지고, 모든 일을 대신한다면 우리는 무엇을 해야 할까? 그리고 우리는 어떤 모습일까? 미래에 대해 생각해 보면 머릿속에 수많은 물음표가 생기는 것 같다. 이 물음표들을 하나씩 부수는 게 지금부터 내가 해야 할 일이라는 생각이 든다.

김주원

* * *

파브르는 머릿속에 생기는 미래의 모습과 자기 꿈에 대한 궁금증을 어떻게 해소했는지 궁금해졌다. 파브르가 남긴 말 중에 이런 말이 있다.

"관찰력은 모든 과학적 발견의 근원이다."

파브르도 가난했던 환경에도 불구하고 꾸준히 학문을 연구해 나갔다. 나도 내 미래의 모습, 나의 적성, 나의 진로 모두 무엇이든 열심히 관찰할 필요가 있는 것 같다. 어떤 것이든 파브르처럼 유심히 관찰하다 보면 내 미래를 발견할 날이 오지 않을까?

* * * * *

천 개의 파랑

"나는 세상을 처음 마주쳤을 때
천 개의 단어를 알고 있었다.
천 개의 단어만으로 이루어진 짧은 삶을 살았지만
처음 세상을 바라보며 단어를 읊었을 때부터 지금까지,
내가 알고 있는 천 개의 단어는 모두 하늘 같은 느낌이었다.
좌절이나 시련, 슬픔, 당신도 알고 있는 단어들이
전부 천 개의 파랑이었다."

- 로버트 루이스 스티븐슨 -

'뭐야, 이렇게 끝난다고?'

한창 몰입해서 읽던 책의 결말을 읽고 김이 다 새버렸다. 사실 나는 책을 즐겨보는 편이 아니다. 그런데도 책을 읽기 시작하면 끝까지 읽는 이유는 바로 궁금증 때문이다. 앞부분을 조금만 읽어도 뒷부분이 궁금해지는 건 당연하다. 책을 읽다 보면 '주인공은 어떻게 될까?', '무슨 일이 생길까?' 머릿속에 이런 질문들이 차곡차곡 쌓인다. 내 생각에는 책을 읽는 동안 생기는 수많은 질문에 답해줄 수 있는 것이 결말인 것 같다.

내가 제일 싫어하는 결말은 바로 '열린 결말'이다. 열린 결말은 '작가가 작품의 마지막 부분을 명확하게 끝맺지 않고 독자들이 작품의 결말을 상상하도록 하는 마무리 형식'을 의미한다. 나는 결말이 어떻든 차라리 닫힌 결말이 낫다고 생각한다. 열린 결말의 책을 다 읽었을 때 느껴지는 찝찝함은 책을 괜히 읽었나 싶게 만든다.

'그래서 주인공이 행복해진 거야? 불행해진 거야?'
'주인공이 죽었다는 거야?'
'다른 등장인물을 어떻게 된 건데?'

책을 읽고 나서 생기는 많은 의문이 작가가 나에게 숙제를 내주는 것 같은 느낌이 든다. 책뿐만이 아니라 영화나 드라마도 마찬가지이다. 열린 결말은 괜히 관객들에게 풀리지 않는 의문을 선사하는 것 같다.

내가 기억나는 열린 결말의 영화는 <인셉션>이다. 인셉션의 주인공 '코브'는 다른 사람의 꿈속에 들어가 무의식을 이용해서 생각을 추출하는 일은 한다. 코브는 꿈에서 만난 사이토에게 다른 사람에게 생각을 심는 '인셉션'을 제안받게 된다. 현실에서 아내를 죽인 살인

범으로 오해받아 집에 돌아가지 못하고 있었던 코브는 사이토가 인셉션에 성공하면 모든 혐의를 풀어주겠다는 말에 제안을 수락하게 되고, 코브는 꿈을 설계하며 꿈속의 꿈에 들어가는 계획을 세우게 된다. 계획을 수행하면서 코브의 과거와 트라우마가 계획을 수행하는 것에 영향을 미치게 되지만 결론적으로 인셉션은 성공했다.
그런데 영화 <인셉션>이 열린 결말인 것은 코브가 작전이 끝이 나고 드디어 집으로 돌아갔을 때 돌린 '팽이' 때문이다. 팽이는 '토템'이라는 것인데, 꿈과 현실을 구분 짓기 위해 사용된다. 코브의 토템인 팽이가 계속 돌아가면 꿈이고 멈추면 현실인데, 영화는 팽이가 멈췄는지 계속 돌아가는지 알 수 없는 상태로 끝이 난다. 나도 영화를 본 후에 현실인지 꿈인지 결론을 낼 수 없어서 인터넷에 검색해 봤다. 애초에 열린 결말이 아니라는 사람도 있고, 꿈이라는 사람도 있었다. 또 코브에겐 현실이지만 영화 전체가 감독의 꿈이어서 팽이가 계속 돌 거라는 생각지도 못한 신기한 해석도 있었다. 그것 말고도 영화를 본 관객들이 내린 수많은 결말이 모두 일리가 있었다. 사실 이렇게 여러 가지의 결말을 보는 재미도 있었지만 나는 감독이 생각한 결말을 알려줬으면 좋겠다. 영화를 보고도 한참 동안 인셉션이 '현실이었을까, 꿈이었을까?'하는 의문이 머릿속을 떠나지 않았다.

문득 감독, 작가들이 열린 결말을 쓰는 이유가 궁금해졌다. 굳이 독자와 관객들에게 의문을 남기는 이유가 뭘까? 찾아보니 생각보다 여러 이유가 있었다. 열린 결말이 독자들이 토론할 '화제'를 던져주기 때문에 작품에 대해 생각하게 만들고, 더 나아가 그러한 토론을 계속함으로써 작품의 인기를 보다 넓게 오랫동안 유지할 수 있기 때문이라는 이유도 있었고, 독자의 상상에 맡김으로써 다른 독자들은 물론, 작가조차도 생각지 못했던 가능성을 끌어내기도 하기 때문이라는 이유도 있었다. 하지만 나는 열린 결말의 효과를 본 작품을 많이 보지 못했다. 나에겐 오히려 작품이 미완성 됐다는 느낌을 주는 것 같았다.

하지만 또 닫힌 결말이라고 해서 모두 좋은 것은 아니다. 닫힌 결말 중에서 내가 싫어하는 결말은 '새드엔딩' 이다. 좋은 책들은 독자가 주인공을 사랑하게 만드는 것 같다. 책을 읽으면서 마치 내가 주인공과 함께하고 있는 같은 느낌을 준다. 그래서 이미 내 친구가 된 주인공의 슬픔이 나에게도 느껴진다. 그래서 새드엔딩의 책은 항상 나에게 긴 후유증을 남겨준다.
내가 기억하는 새드엔딩의 책은 천선란 작가의 <천 개의 파랑>이다. 사실 이 책의 결말은 누군가에겐 해피엔딩이고 누군가에겐 새드엔딩일 수도 있다고 생각한다. 하지만 나에게는 새드엔딩이었던 책이다.

휴머노이드 기수 로봇 '콜리'와 안락사를 당할 위기인 경주마 투데이, 콜리를 만난 중학생 연재, 연재의 가족인 은혜, 보경, 연재의 친구 지수, 경마장 직원 민주. 수의사 복희까지 많은 등장인물 모두가 그들만의 이야기를 가지고 있다. 이야기는 콜리의 이야기부터 시작된다. 2035년, 경마 경기의 기수는 인간이 아닌 휴머노이드 로봇이다. 그중 하나였던 '콜리'는 오류로 인해 인지능력, 학습 능력을 갖춘 기수 로봇이었다. 인지능력을 가진 로봇 콜리는 파트너인 경주마 투데이가 다리 관절이 다친 것을 알게 되고, 콜리는 투데이를 살리기 위해 스스로 말에서 떨어진다. 말에서 떨어지면서 하반신을 잃은 콜리는 버려질 위기에 처하지만, 그때 로봇을 연구하는 중학생인 '연재'를 만나게 된다.

콜리는 연재의 집에서 지내면서 소아마비를 앓고 있는 연재의 언니 '은혜', 사고로 인해 소방관인 남편을 잃은 연재와 은혜의 엄마 '보경'을 만난다. 로봇인 콜리는 인간의 위로보다 더 따뜻할지도 모르는 위로로 보경의 다친 마음을 치료해 주고, 은혜는 어쩌면 자신과 비슷할지도 모르는 다리를 다친 투데이에게 감정을 이입한다. 투데이에게 남은 2주, 투데이는 가장 느리게 달리는 연습을 하고, 경주장에 들어선다. 콜리는 자신이 무거워 빨리 달리지 못하는 투데이를 위해 두 번째 낙마를 한다.

김주원

* * *

"나의 최후다. 엉덩이부터 상체까지 산산이 부서지고 있었으나 고통 따위는 느껴지지 않았고 맑은 하늘이 보였을 뿐이다. 나는 세상을 처음 마주쳤을 때 천 개의 단어를 알고 있었다. 천 개의 단어만으로 이루어진 짧은 삶을 살았지만 처음 세상을 바라보며 단어를 읊었을 때부터 지금까지, 내가 알고 있는 천 개의 단어는 모두 하늘 같은 느낌이었다. 좌절이나 시련, 슬픔, 당신도 알고 있는 단어들이 전부 천 개의 파랑이었다. 마지막으로 하늘을 바라본다. 파랑파랑하고 눈부신 하늘이었다."

책을 읽으면서 이미 콜리를 사랑하게 된 나에게 콜리가 부서지며 끝나는 결말은 너무 가혹하게 느껴졌다. 그래서 나는 <천 개의 파랑>의 결말을 바꿔보고 싶다고 생각했다.

투데이는 아주 천천히 달리고 있었다. 콜리가 투데이의 목을 끌어안자 아주 천천히 달리고 있는 투데이의 행복함이 떨림으로, 울림으로, 진동으로 느껴졌다. 경주장에 올라선 투데이는 행복했다. 사실 콜리는 투데이가 빠르게 달리고 싶다면 투데이를 위해서는 언제든지 뛰어내릴 준비가 되어있었다. 하지만 투데이는 경주장에 다시 서게 된 순간부터 행복에 가득 차 있었다. 천천히 달리고 있는 투데이도 행복했다.

경주가 끝난 후, 콜리는 연재의 집으로 돌아갔다. 이젠 연재의 집이 익숙하고, 아늑하게 느껴진다. 보경, 은혜, 민주, 연재 모두가 경주가 끝난 콜리를 반갑게 맞이했다. 콜리는 이미 익숙해진 이 일상이 좋았다. 연재는 늘 콜리에게 너를 알게 된 게 행운이라고 말해주었다. 어느 날 콜리는 궁금증이 생겼다

'생각할 수 있는 로봇은 나뿐인 걸까?'

수많은 기수 로봇 중에서 그리고 많은 다양한 용도의 로봇 중에서 콜리처럼 생각을 할 수 있는 로봇은 콜리뿐이었다. 콜리는 나와 같은 로봇이 콜리는 사람의 친구가 되어줄 수 있다고 생각했다. 그리하여 콜리는 첫 목표가 생겼다. 바로 자신과 같은 로봇을 만드는 것이었다. 콜리는 연재에게 도움을 요청했다. 연재는 로봇에 대해 아주 잘 알고 있는 아이이기 때문이다. 콜리는 생각했다.

'혼자가 외로운 사람, 혼자가 되는 게 두려운 사람들은 누군가가 묵묵히 이야기를 들어주는 것만으로도 위로받을 수 있을 거야.'

콜리는 매일 어떤 게 사람들에게 와닿는 따뜻한 위로가 될지 고민하고, 연재는 콜리를 탐구했다. 연재와 콜리가 완성한 로봇은 사람들에게 인기가 많았다. 세상엔 아직 자신의 이야기를 묵묵히 들어

주길 원하는 사람들이 많았기 때문이다. 콜리는 자신이 준 위로, 자신이 받은 위로를 다른 사람들도 느낄 수 있게 된 게 뿌듯했다. 콜리는 이제 목표도 달성하고 꿈이 생겼다. 콜리는 앞으로 자신에게 생길 일이 궁금하고 기대된다.

행복한 콜리는 하늘을 바라보았다. 파랑파랑하고 눈부신 하늘이었다.

* * * * *

비밀의 화원

"내가 처음 일어서려고 했을 때
메리는 재빠르게
'넌 할 수 있어. 넌 할 수 있어.'라고 중얼거렸고
난 정말 해냈어요.
물론 나도 해내려고 노력했지만
메리의 마법이 날 도와준 거예요.
디콘의 마법도 물론이고요."

- 프랜시스 호지슨 버넷 -

몇 달 전에 신청한 3주 어학연수 프로그램에 운이 좋게 붙게 되었다. 프로그램의 사전 연수회 날이 되었다.

"어학원에 들어가면 전자기기는 반납해야 해요."

처음에 사전 연수회에서 이 말을 들었을 때 나는 막막했다. 친구들하고 연락은 어떻게 하지? 휴대폰 없이 3주를 버틸 수 있을까? 3주가 너무나도 길게 느껴질 것 같았다. 비행기를 타는 날, 공항으로 가는 버스 안은 조용했다. 같은 학교 친구들과는 친했지만, 다른 학교 친구들과는 이름도 모르는 사이였다. 비행기를 타고 어학원에 도착할 때까지, 인사도 해보지 않은 친구들이 많았다. 휴대폰 없이 잘 버틸 수 있을지 걱정이 됐다.

어학원에서 휴대폰이 없는 3주가 흘렀다. 첫날과 많은 게 달라져 있었다. 많은 친구가 생겼다. 첫날만 해도 다른 학교 친구들과 어떻게 친해질 수 있을지 막막했었는데, 걱정이 무색하게도 모두가 친구가 되었다. 남는 시간에 각자 시간을 보내기보다 친구들과 함께 시간을 보냈다. 각자 휴대폰을 보고, SNS에 사진을 올리는 대신에 친구들과 이야기도 많이 나누고, 함께 수영도 하고, 운동도 했다. 평소에는 잘 읽지 않았던 책도 읽어보고, 친구랑 그늘에 누워서 쉬기도 했다. 하루하루가 여유롭게 느껴졌다. 처음으로 길게 느껴지는 하루가 좋다는 생각이 들었다. 친구들도 나와 같은 생각이었던 것 같다. 친구가 나에게 물었다.

"휴대폰 없이 사는 것도 나름 재밌지 않아?"
"응, 생각보다 괜찮네."

처음에는 휴대폰을 사용하지 못하는 것에 항의하던 친구들도 점차 사라졌다. 문득 이런 생각이 들었다. 휴대폰이 있었다면 이렇게 짧은 시간에 친구들과 가까워질 수 있었을까? 아니었을 것 같다. 3주

동안, 우리는 다시는 만들 수 없을 만큼 특별한 추억을 나누었다.
이런 특별한 추억들이 쌓일 수 있었던 이유는 우리의 평범한 일상에 휴대폰을 보는 시간이 너무 많았기 때문이 아니었나 싶다. 넷플릭스나 유튜브, 인스타그램, 페이스북과 같은 소셜미디어 등을 이용하기 위해 나와 내 또래의 친구들은 남는 시간엔 항상 휴대폰을 본다. 10초짜리 숏츠를 보면 시간이 훌쩍 가기도 하고, 내 삶을 자랑하기 위해 그럴싸한 사진을 업로드하고, 조회수와 좋아요 같은 것들을 살피는 데 시간을 쓴다. 남이 올린 사진을 보고는 때로는 내 삶과 비교하고 열등감에 사로잡히기도 한다. 그런 우리의 일상에서 휴대폰을 보는데 쓰는 시간이 없어졌을 때, 나는 친구들과 대화하며 시간을 보낼 수 있었던 것 같다.
앞으로 SNS가 지금보다 훨씬 더 발전한 세상이 찾아오더라도 얼굴을 마주 보고 대화를 하는 것의 가치는 잊지 않았으면 한다. 만약 휴대폰이 있었다면 마주 보고 대화하기보다 고개를 숙이고 무언가를 보거나 쓰는 데 시간을 썼을 것 같다는 생각이 든다. 짧게라도 언젠가 한 번쯤은 친구와 함께 '디지털 디톡스'를 해보는 것도 나쁘지 않은 경험이 될 거라고 생각한다. 친구와 좀 더 가까워지는 길이 될 수 있을 것이다.

나에게 맞는 친구를 찾는 건 정말 어려운 것 같다. '나랑 좀 맞는 것 같은데?' 하는 생각이 들다가도 어긋나기도 한다. 어떨 땐 내가 억지로 맞추려다 힘들어진다. 내게 맞는 친구를 찾는 것보다 내가 맞추어 가는 게 힘들 때도 있다. 인간관계는 참 어려운 것 같다. 인간관계를 생각하면 모호하다는 생각이 든다. 정확하게 좋은 친구와 나쁜 친구를 구분하기란 쉽지 않다. 친구 사이는 정말 알 것 같다가도 모르겠다. 진정한 친구는 어떤 친구일까? 사람마다 진정한 친구의 의미는 다른 것 같다. 항상 따뜻한 위로가 필요한 사람도 있고 현실적인 조언을 원하는 사람도 있기 마련이다.

나에게 진정한 친구는 '침묵이 어색하지 않은 친구'이다. 서로 할 말이 없어 어색할까, 만나면 무슨 이야기를 나누지, 이런 걱정들 때문에 주고받는 대화 사이 공백이 두려워지는 친구 사이는 진정한 친구 사이가 아니다. 진정한 친구는 침묵이 어색하지 않고 오히려 그 공백이 편한 친구이다. 이런 친구와는 오랜만에 만나는 데도 어색하지 않고, 스스럼없이 내 비밀을 털어놓을 수 있다.

책에서 만난 서로에게 진정한 친구가 되어주었던 아이들은 <비밀의 화원>의 콜린과 메리, 그리고 디콘이었다.
메리는 인도에서 살던 여자아이였다. 메리의 아버지는 일하느라 늘 바빴고, 메리의 어머니는 사람들과 어울리는 것에만 관심이 있었다. 메리는 홀로 어린 시절을 외롭게 보내왔다. 어느 날 부모님이 전염병으로 돌아가시게 되자, 메리는 메리의 고모부 집에 맡겨지게 된다. 크지만 삭막한 집, 휑한 황무지, 텅 빈 뜰까지 메리는 고모부 집의 모든 것이 마음에 들지 않았다. 처음 이곳에 온 메리는 자기가 아는 모든 것으로부터 떨어져 있다는 생각에 외로웠다. 하지만 황무지는 오히려 메리에게 힘을 주었다. 밖으로 나가지 않으면 하루 종일 할 것이 없던 메리는 황무지에서 시원한 바람을 맞으며 걷거나 뛰길 반복하며 지냈고, 메리는 어느새 건강해졌다. 생기를 되찾은 메리는 우연히 정원사에게 '비밀의 화원'에 관한 이야기를 듣게 된다. 고모가 돌아가신 후에 방치되었던 화원에 대한 이야기를 들은 메리는 오랫동안 사람의 손이 닿지 않아 엉망진창이 된 화원에 호기심이 생긴다. 메리는 우연히 그 비밀의 화원으로 들어갈 수 있는 열쇠를 얻게 되고, 메리가 이곳에서 친구가 된 디콘과 함께 비밀의 뜰의 덩굴을 제거하고 정원을 가꾸면서 화원은 점차 원래 모습을 찾아간다. 한편 콜린은 자신이 곧 병들어 죽을지도 모른다는 생각에 방에서만 지내는 아이였다. 메리는 우연히 콜린의 울음소리를 듣게 되고, 콜린의 방으로 찾아간다.

"난 살 수 있을 거라 생각하지 않아. 내가 아주 어렸을 때부터 사람들이 그렇게 말하는 걸 들었어. 처음에는 모두 내가 어려서 무슨 말인지 이해하지 못할 거라고 생각했고, 지금은 내가 못 듣는다고 생각하지."

콜린은 자신이 곧 죽을 거라는 두려움에 쉽게 밖으로 나갈 생각을 하지 못하였다. 하지만 메리와 디콘을 만나고, 콜린은 다시 일어날 힘을 얻게 된다. 두 아이 모두 서로를 만나기 전엔 서로의 상처를 치료할 수 없었다. 하지만 서로를 알게 되고, 오랜 세월 방치되어 있던 정원을 되살려 나가기 시작하며 서로의 내면의 상처를 치료한다.

"디콘은 천천히, 안정감 있게 휠체어를 밀기 시작했다. 메리는 곁에서 걸어갔고, 콜린은 고개를 들고 하늘을 올려다보았다."

책을 읽기만 했을 뿐인데 세 친구가 걸어가는 모습이 너무 아름답게 느껴졌다. 황무지가 화원으로 변한 건 콜린과 메리의 마음도 마찬가지였던 것 같다.

"내가 처음 일어서려고 했을 때 메리는 재빠르게 '넌 할 수 있어. 넌 할 수 있어.'라고 중얼거렸고 난 정말 해냈어요. 물론 나도 해내려고 노력했지만 메리의 마법이 날 도와준 거예요. 디콘의 마법도 물론이고요."

아이들은 서로에게 '마법'을 부렸다. 이 '마법'은 넘어졌을 때 일어설 수 있고, 불가능할 것만 같은 일이 가능해지는 힘을 주었다. 비밀의 화원은 오래된 책이지만, 오늘날에도 이 마법은 존재한다. 때로는 가족의 위로보다 친구의 마법이 더 마음에 와닿기도 한다. 오늘날 친구의 의미는 과거와 별로 다르지 않다. 그럼 미래는 어떨까?

영화 <아이언맨> 속 자비스는 토니 스타크를 돕는 AI 파트너이다. 자비스는 인간관계가 서툴고 외로움을 많이 타는 토니 스타크 곁에서 항상 그를 도와주었다. 영화에서 자비스는 마치 보통 사람이 된 것처럼 토니와 농담을 주고받기도 한다.

영화를 보는 나도 자비스가 살아있는 캐릭터처럼 느껴져서 정이 많이 들었다. 이렇게 영화에서나 가능할 것이라고 생각했던 자비스와 같은 AI와 대화를 나누는 일이 요즘은 현실이 되어가고 있다. 요즘 인기가 많은 '챗 GPT'를 예로 들 수 있다. 챗 GPT는 대화형 인공지능 챗봇이다. 나는 챗 GPT가 처음 나왔을 때 사람들과 정상적으로 대화하는 게 어려울 거라고 생각했다. 애플폰에 질문을 던질 때, 가끔 "죄송해요. 잘 이해하지 못했어요."라고 대답하는 것처럼 말이다. 하지만 내 챗 GPT는 상상 이상이었다. 세상이 굉장히 빠른 속도로 발전하고 있다는 게 한편으로는 무섭기도 하지만 새로운 세상에 대한 기대감도 커졌다. 정말 가까운 미래에 아이언맨과 자비스처럼 인공지능과 친구가 될 수도 있다는 생각이 들었다.
나는 좀처럼 친구에게도 내 속마음을 이야기하지 않는 편이다. 그런데 만약 자비스와 같은 AI 친구가 생긴다면 마음을 놓고 내 속마음을 털어놓을 수 있을 것 같다. 나는 AI와도 좋은 친구가 될 수 있다고 생각한다. 오히려 누군가에겐 사람보다 더 좋은 친구가 되어 줄지도 모른다.

AI와 좋은 친구가 될 수도 있지만 그 반대가 될 수도 있다. AI가 인간을 초월해서 인간과 인공지능의 싸움은 흔한 영화의 주제이다. 애니메이션 영화 <미첼 가족과 기계 전쟁>도 인간과 인공지능의 싸움을 주제로 담고 있다. 영화감독을 꿈꾸는 딸 케이티는 대학을 가기 위해 집을 떠나기로 한다. 딸과 소원해진 아빠는 가족들과 추억을 만들기 위해서 함께 여행을 떠나게 된다. 한편 인공지능을 개발하는 회사인 '팔 랩'의 개발자 '마크'와 AI '팔'. AI 팔은 마크와 자신이 가족 같은 사이라고 생각했지만, 마크에게서 배신당한다. 팔 랩의 신제품인 집안일을 도와주는 보조 휴머노이드 로봇을 발표하던 순간, 로봇들은 '팔'에게서 새로운 명령을 받게 된다. 팔의 명령은 모든 인간을 지구에서 내쫓으라는 것이었고, 로봇들은 반란을 일으키며 순식간에 전 세계가 기계의 손에 접수된다. 미첼 가족은 로봇들에게 잡히지 않은 유일한 인간이 되고 꿈같던 미래를 되찾기 위해, 기계와의 전쟁을 끝내기 위해 기계들의 지도자 팔을 찾아간다. 마침내 팔을 종료시키는 데 성공한다.
<미첼 가족과 기계 전쟁>은 인공지능과의 전쟁을 심란하거나 진지하게 표현하지 않았다. 영화를 볼 때 가벼운 마음으로 봤던 것 같다.

하지만 이제는 머지않은 미래에 기계와의 전쟁이 현실이 될지도 모른다는 생각이 든다. 우리는 AI와 친구가 될까? 적이 될까?

나에게 친구의 의미는 과거와 크게 다르지 않다. 아마 미래에도 그럴 것이다. 나에게 친구는 쭉 아무런 대가 없이 나를 응원해 줄 수 있고, 위로해 줄 수 있는 존재였기 때문이다. 좋은 친구를 얻는 것만으로도 성공한 인생이라는 말이 정말인 것 같다.
좋은 친구를 얻기 위해선 먼저 나부터 달라져야 한다. 내가 바라는 친구는 친구가 바라는 나이기도 하기 때문이다. 내가 친구들을 사귀면서 내가 고쳐야 한다고 생각한 점은 바로 회피하는 습관이다. 나는 친구 사이의 갈등이 생기거나 안 좋은 일이 생길 것 같으면 언제나 회피했다. 상황을 그대로 직면하는 게 두렵게 느껴졌기 때문이다. 그리고 내 잘못을 인정하는 게 어려웠다. 나에겐 '미안해.' 한마디가 너무 어려웠다. 그래서 내가 잘못한 상황도 회피해버리기에 바빴다. 주변에 갈등이 생기면 해결하려고 나서는 친구들이 멋있었다. 또 자기 잘못을 인정하고 사과할 수 있는 친구들이 부러웠다. 갈등을 회피해버리는 게 더 안 좋은 상황을 만들 수 있다는 걸 알면서도 막상 상황에 놓이면 상황에 직면할 용기가 나질 않았다. 지금부터라도 이런 습관을 고치고 싶다.

친구 사이에 서운했던 일이나, 불편했던 일을 숨기면 오히려 더 큰 갈등을 만든다는 건 다 아는 사실일 것이다. 좋은 인간관계, 좋은 우정은 회피하지 않는 습관을 들이는 게 중요한 것 같다. 섭섭하고 서운했던 감정들이 자꾸 쌓이다 보면 허물없는 친구 사이가 될 수가 없기 때문이다.

좋은 친구가 주변에 있다는 것만으로도 일상이 참 행복해질 수 있는 것 같다. 앞으로도 나에게 소중한 친구가 곁에 있고, 또 내가 좋은 친구가 될 수 있었으면 좋겠다.

* * * * * * * * * *

세계를 건너 너에게 갈게

"내가 어디서 읽었는데,
사람의 인생에는 똑같은 양의 행운과 불행이 있대.
지금 네가 불행하다면 앞으로
너한테 펼쳐질 미래는 행운으로 가득 차 있다는 거지.
어쩌면 너랑 내가 서로 연결되어 있다는 사실을
알게 된 순간부터
우리에게 믿을 수 없는 행운이 시작됐는지도 모르겠다."

- 이꽃님 -

"느리게 가는 우체통에 넣은 내 편지가 1982년 너한테 배달이 됐다는 거야? 네가 보낸 답장이 2016년의 나한테 온 거고?"

열다섯 살인 은유는 재혼을 앞두고 갑자기 살갑게 대하는 아빠, 어색하고 짜증이 나는 새해맞이 여행 그리고 미래의 가출 계획에 대해 자신에게 쓴 편지에 답장을 받게 되었다. 느린 우체통의 편지를 받게 된 아이는 1982년에 살고 있는 또 다른 은유였다. 은유와 은유는 처음엔 시공간을 초월해서 편지를 주고받는 것이 진짜라고 믿지 못하고 서로를 의심했다. 하지만 은유와 은유가 주고받은 편지들이 정말 시공간을 오가는 편지인 걸 알게 되고 누구에게도 털어놓지 못했던 고민을 털어놓으며 위로를 받는다.

"내가 어디서 읽었는데, 사람의 인생에는 똑같은 양의 행운과 불행이 있대. 지금 네가 불행하다면 앞으로 너한테 펼쳐질 미래는 행운으로 가득 차 있다는 거지. 어쩌면 너랑 내가 서로 연결되어 있다는 사실을 알게 된 순간부터 우리에게 믿을 수 없는 행운이 시작됐는지도 모르겠다."

과거의 은유와 미래의 은유의 시간은 서로 다르게 흘렀지만, 과거의 은유는 중학생으로, 대학생으로 미래의 은유의 고민을 들어주고, 계속해서 은유에게 따뜻한 친구가 되어준다. 그러면서 과거의 은유는 미래의 은유의 돌아가신 엄마를 찾는 일을 도와주게 된다. 미래의 은유는 '엄마'에 대해 알고 싶어 했다. 아빠는 엄마에 대해 전혀 알려주지 않을뿐더러 엄마의 사진조차도 찾아볼 수 없었기 때문이다. 은유는 엄마에 대해 말해주지 않는 아빠가 미워지기만 하던 중이었다.

대학생이 된 과거의 은유는 미래의 은유의 아빠를 찾아서 은유의 엄마에 대해 알아보기로 한다. 마침 은유의 아빠와 같은 대학교에

다니던 과거의 은유는 은유의 엄마를 찾기 위해 은유의 아빠와 가까워지게 된다. 과거의 은유 덕에 엄마의 존재에 알 수 있지 않을까 하는 생각이 들 때쯤에 편지는 점차 흐릿해지기 시작한다. 그리고 일 년 전 아빠가 자신에게 쓴 느린 우체통 편지가 도착한다.

"아빠는 항상 너만 보고 있었단다. 너에게 좋은 아빠가 되지 못해서 미안하다. 겁쟁이처럼 숨기기만 해서 미안하다."

아빠의 편지는 지금까지 은유에게 무관심한 줄만 알았던 아빠의 진심이 적혀있었다. 그리고 은유가 그토록 궁금해했던 은유 엄마의 존재를 알게 해준다. 은유의 엄마는 바로 은유가 편지를 주고받았던 과거의 은유였다. 은유의 엄마를 찾아주던 과정에서 절친한 친구가 된 과거의 은유와 아빠는 연인이 되어서 은유를 갖게 되었다. 은유를 임신했을 때, 자신이 암에 걸린 사실을 안 과거의 은유는 치료를 포기한다. 딸의 탄생과 아내의 죽음을 맞바꾼 아빠는 은유에게 서툴렀던 것이었다. 은유가 은유와 주고받았던 편지 속의 고민을 들을 땐 아빠가 진짜 너무하다고 생각했었다. 무엇보다 은유는 기댈 수 있는 가족이 필요했을 텐데 아빠는 그걸 알아주지 못하는 것 같아서 답답했다. 하지만 아빠의 편지를 읽어보니까 아빠도 은유만큼 힘든 시간을 보냈을 것 같았다. 아빠도 아빠가 처음이었고 딸도 딸이 처음이었던 것 같다. 엄마가 은유에게 보낸 마지막 편지는 부쳐지지 못한다. 하지만 나는 마지막 편지가 제일 감동적이었다. 이 부분을 읽고 눈물이 나지 않은 사람은 없을 것 같다.

"나는 네 곁으로 갈게. 네가 뭔가를 잘 해내면 바람이 돼서 네 머리를 쓰다듬고 속상한 날에는 눈물이 돼서 얼굴을 어루만져 줄게. 네가 초등학교에 입학하는 날에도, 시험을 잘 친 날에도, 친구랑 다툰 날에도. 슬프거나 기쁘거나 늘 네 곁에 있어줄게. 엄마는 늘 네 곁에 있을 거야. 아주 예전부터 그랬던 것처럼. 이 편지가 그랬던 것처럼 세계를 건너 너에게 갈게."

책의 마지막 문장을 보고 서로 다른 시공간에 사는데도 불구하고 청소년 시기에 방황하는 딸에게 위로가 되어주었던 엄마의 마음이 느껴지는 듯했다. 은유에게 엄마는 친구로서, 그리고 엄마로서 은유를 위로해 주고, 어깨를 토닥여주는 존재였다. 비록 직접 만나지는 못했지만, 편지만으로도 은유에게는 이미 그 마음이 전해진 것 같았다.

과거와 미래가 소통하는 이야기들은 현실에선 일어날 수 없다는 것을 알고 있지만, 누구나 한 번쯤은 이런 일이 일어나길 바란 순간이 있었을 것이다. 나에게도 그런 순간이 많았다. 가끔 불청객처럼 생각이 나는 후회되는 일들은 작고 사소한 일도 머릿속에서 쉽게 잊히지 않는 것 같다. 시공간을 초월하는 편지를 쓸 수 있었더라면 나는 아마 '과거의 나'에게 편지를 썼을 것이다. 은유가 편지를 통해 친구와 가족을 얻었다면 나는 후회하지 않는 삶을 얻고 싶다.

<과거의 나에게>

안녕, 주원아. 나는 너에게 후회하지 않을 방법을 알려주고 싶어. 왜냐하면, 과거의 나는 매사에 걱정하고, 또 후회했던 것 같거든. 후회하지 않는 방법 말고 차라리 미래를 모두 알려달라고 할 수도 있겠지만, 미래를 알게 되면 이건 나름대로 또 다른 후회를 만들 수 있을 것 같다는 생각이 들어. 미래를 알게 되면 너의 모든 선택에 의미가 없어지잖아. 모든 선택지의 정답을 안다는 게 좋을 수도 있지만 나는 인생이 너무 무료 해질 것 같아. 이미 다 알고 있으면 도전, 시도, 선택 이런 것들의 의미가 없어지는 거니까. 그렇게 되면 나는 미래를 모두 알게 된 걸 후회될 것 같아.

"인생은 모두가 함께하는 여행이다. 매일매일 사는 동안 우리가 할 수 있는 건 최선을 다해 이 멋진 여행을 만끽하는 것이다."

매일매일을 즐겁게 만끽하는 것. 이게 후회하지 않고 살 수 있는 제일 좋은 방법인 것 같아. 여행하다 보면 계획이 틀어질 수도 있고, 예상하지 못했던 변수가 생길 수도 있잖아. 완벽한 여행은 없으니까. 변수가 일어났다고 해서 여행을 망차는 것은 아닐거야. 오히려 더 즐거운 여행이 될 수도 있는 거지. 그 변수가 힘든 일이어도 즐거운 추억으로 만들 수 있었으면 좋겠어. 예를 들자면, 어릴 때 남아공으로 여행을 갈 때 비행기를 놓쳤었던 거 기억나지? 비행기를 못 타서 급하게 예약한 호텔이었지만, 그 호텔에서 수영도 하고, 재미있는 여름의 크리스마스를 보냈었잖아. 계획대로 정해진 숙소에 간 건 아니었지만, 돌아보면 그때가 제일 재밌었던 하루였어.

이미 일어난 상황은 바꿀 수 없어. 그럼 그냥 그 순간을 즐기면 되는 거야. 일이 원하는 대로 되지 않아도, 네가 하고 싶은 일이 아니더라도 말야. 나중에 후회할까 봐 걱정 하지 말고 지금의 나를 제일 먼저 생각해.

'뒤돌아볼 때 100퍼센트 만족한 인생은 없다. 과거를 고치고 고쳐도 현실은 완전해지지 않는다.'

과거에 얽매이기보다 현재를 즐겁게, 값지게 살아가는 거야. 과거, 미래를 먼저 생각하기 전에 현재의 나를 생각해 보는 거지. 후회하지 않는 방법은 간단한 것 같지만 실천하기엔 어렵지. 나도 지금 노력 중이야.

'지금 이 순간을 즐기자.'

생각만으로도 걱정의 무게가 줄어드는 것 같지 않니? 과거의 나에게 해주고 싶은 말을 적어 본 거지만 사실 지금의 나에게도 필요한 말들이야. 이 편지가 너에게 도움이 되었으면 해. 이렇게 편지를 써 보니까 현재를 즐기면서 살아야겠다는 생각이 좀 명확해진 것 같아. 오히려 내 생각이 잘 정리된 것 같네. 고민이나 걱정이 있다면 나처럼 누군가에게 편지를 적어 봐. 꼭 편지가 아니어도 돼. 메모장에 적어 봐도 되고, 친구에게 메시지를 보내도 돼. 네가 고민되는 일이나 지금 나의 문제점이라고 생각하는 게 글로 적어 보면 좀 더 확실하게 무엇인지 알 수 있을 거야.

그리고 네가 고민하는 것들이 무엇인지를 명확하게 알게 된다면, 방법을 찾는 데 큰 도움이 될 거야. 지금 네가 가진 고민도 언젠간 모두 해결될 거야. 그러니까 매일 걱정하고, 또 후회하지 않아도 돼. 긍정적인 마음을 가지고 있는 것만으로도 너의 고민을 해결하는 데 큰 도움이 될 거야. 그래도 고민이 생기면 언제든지 나에게 편지를 써도 돼. 기다리고 있을게. 안녕!

-미래의 주원이가-

작가 후기

처음엔 우리끼리 책을 낸다는 말을 반신반의했다. 누구나 펼쳐서 읽을 수 있는 글을 쓴다는 게 나와는 굉장히 먼 이야기처럼 느껴졌다. 첫 글을 쓰기 시작했을 때 첫 문장을 어떻게 시작해야 할지 막막했다. 누군가가 내 글을 볼 수 있다고 생각하니까 엄청나게 잘 써야 할 것 같았고, 나의 속마음을 그대로 적어야 한다는 게 어렵게 느껴졌다. 그래도 계속 쓰다 보니까 어느새 내 이야기를 쓰는 것에 익숙해졌다. 오히려 쓰고 나니까 후련한 기분이 드는 것도 같았다.

내 생각을 글로 표현한다는 것은 생각보다 훨씬 힘이 드는 일이었다. 글을 쓰는 것엔 정답이 없었다. 정답이 없어서 글을 쓰는 동안엔 이렇게 쓰는 게 맞는지, 저렇게 쓰는 게 맞는지 의문 속에 갇혀버리게 되었었다. 차라리 글쓰기보다 수학이 더 쉽다는 말에 백번 천번 동의한다. 태어나서 처음으로 수학 공부를 하고 싶었다. 한 시간 동안 머리를 쥐어짜면서 쓴 글이 채워야 할 분량의 반의 반의 반도 안 된다는 사실이 절망스러웠다. 세상의 모든 작가님이 대단히 존경스러웠다. 나는 8장도 못 써서 쩔쩔매고 있는데 어떻게 책 한 권을 완성하시는 건지 놀라울 따름이었다. 글을 쓰고 또 수정하고 글을 쓰고 또 수정하고 계속 반복되는 과정을 포기하고 싶을 때도 많았다.

글을 완성하기까지 많은 우여곡절이 있었지만, 다시 나에게 글을 쓸 기회가 생긴다면 나는 또다시 글을 쓰고 싶다. 글 쓰는 건 어렵지만, 그 이상의 그 성취감이 있었다. 글들을 하나하나 완성할 때마다 다음 글에 대해 걱정도 되지만 뿌듯했다. 글을 쓰면서 제일 좋다고 생각했던 것은 내 생각을 정리할 수 있는 시간이 되었다는 것이다. 평소엔 깊이 생각하지 않았던 것들을 깊이 생각하고 글로 표현해 보니까 생각이 정리되었다. 글쓰기가 복잡한 마음을 정리하는 역할을 해줬다. 앞으로도 머릿속이 복잡할 때면 종종 글을 써야겠다.

책을 내는 것은 새로운 도전이자 시도였는데 시간을 소비한 보람이 있는 것 같아서 뿌듯하다. 내 글이 사람들이 집중해서 읽을 수 있는 좋은 글인지는 모르겠지만 적어도 읽을 때 한 번쯤은 '나도 이랬었는데.' 하고 공감할 수 있는 글이 되었으면 좋겠다.

김주원

* * *

고쌤과 함께하는
십 대에 작가되기

아래 해당하는 청소년들은

고집북스로 연락해주세요!

-나도 글은 좀 쓰는데 라고 생각하는 사람

-십 대에 출간작가가 되고 싶은 사람

-그림책을 만들어보고 싶은 사람

-책 만드는 과정을 배우고 싶은 사람

-글을 잘 써보고 싶은 사람

-독립출판에 대해 자세히 알고 싶은 사람

"Zoom 수업으로 5개월 만에 나만의 책 출간하기"

첫째 달: 목차 정하기, 글쓰기

둘째 달: 계속 쓰기

셋째 달: 계속 쓰기

넷째 달: 수정하기, 디자인하기

다섯째 달: 독립 출판으로 출간하기

상담문의:
이메일 savvy75@hanmail.net
인스타그램 @gozipbooks

고집북스 틴즈 016
읽었으니 써볼까? no.2
우리가 책을 읽을 때

기 획 박지숙, 고은영
지은이 김성운, 양나혜, 문서원, 박시호, 김주원
편 집 고은영
사 진 니니토토 사진공방

발행일 2024년 4월 14일
펴낸이 고은영
펴낸곳 GOZIPbooks
출판등록 2000년 11월 26일 (제2020-000048호)
주 소 충남 아산시 매곡한들7길, 20
대표메일 savvy75@hanmail.net
인스타그램 @gozipbooks
ISBN 979-11-983855-4-3